Juegos creativos
para tu bebé

Juegos creativos
para tu bebé

Proyectos de juguetes
educativos para bebés
de tres meses a dos años

Christopher Clouder
Janni Nicol

Grijalbo

Título original: *Creative play for your baby*

© 2007, Octopus Publishing Group Ltd
© 2007, Random House Mondadori, S.A., por la presente edición
  Travessera de Gràcia, 47-49. 08021 Barcelona
© 2007, Marisa Rodríguez Pérez, por la traducción

Coordinación editorial: Bettina Meyer
Maquetación: Marisa Rodríguez Pérez

ISBN: 978-84-253-4195-3

Impreso y encuadernado en China

G R 4 1 9 5 3

Notas sobre seguridad

Los juguetes de este libro han sido diseñados para jugar con bebés de
hasta dos años y deberían fabricarse con el cuidado y la atención
debidos. Toda la lana utilizada no debe desprender fibras y, cuando se
utilice para el pelo de algún muñeco, debe coserse y atarse bien. Toda la
madera debe secarse bien antes de usar (con aire o en un horno) para
evitar que se abra o astille. Los bordes ásperos o afilados de los juguetes
de madera deben lijarse bien. Si se protege la madera con aceite, utilizar
uno que no resulte dañino si se chupa, como aceite de linaza o de oliva
hervidos. Conviene revisar los juguetes periódicamente por si estuvieran
desgastados o rotos, sobre todo los que contienen partes pequeñas.

Exención de responsabilidad

Los editores no aceptan ningún tipo de responsabilidad legal o civil por
los accidentes o lesiones consecuencia del uso de cualquier objeto
mencionado en este libro ni tampoco de la fabricación de cualquiera de
los proyectos.

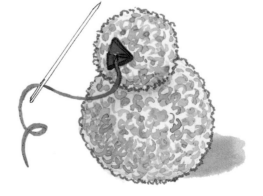

Sumario

Introducción 6

Cuidado 12

Conciencia 50

Acción 72

Asombro 106

Índice alfabético 126

Bibliografía 128

Agradecimientos 128

Introducción

El juego es diversión. Cuando jugamos, nos sentimos totalmente integrados en nosotros mismos y en comunión con el mundo. Es la sabiduría de la infancia. No hace falta aprenderla y, sin embargo, es necesario cultivarla y valorarla para que dé sus frutos a lo largo de la vida. El niño pequeño contempla al adulto como un protector, y a través del ejercicio de ese rol descubrimos al niño que llevamos dentro, lo que da bienestar y chispa a nuestra vida.

La importancia del juego

Los primeros años de la vida del bebé giran en torno al juego. Como en este poema de William Blake titulado «Alegría infantil»:

> *«No tengo nombre;*
> *solo tengo dos días.»*
> *¿Cómo te llamaré?*
> *«Soy feliz,*
> *Alegría es mi nombre.»*
> *¡Que el dulce júbilo sea contigo!*

El juego es una actividad completamente absorbente que genera lógica, habilidades sociales, satisfacción, memoria y otros valores. No es un aspecto desdeñable del desarrollo humano, que pueda ser relegado a una búsqueda del placer, sino que fundamenta las raíces de nuestra naturaleza. El juego implica humor, arte, bienestar corporal, relaciones humanas, conciencia del entorno y sentido del yo. Es un indicativo de salud mental. Cuanto más jugamos, más aprendemos.

Los niños juegan mejor y más profundamente cuando se crían en un entorno seguro y lleno de amor, y lo que experimentan durante este período afecta a su individualidad durante el resto de su vida.

Cuando debatimos temas sociales típicos, como la tolerancia, ciudadanía, respeto, paz, conflicto y divisiones étnicas o ideológicas, no deberíamos olvidar cómo nuestras experiencias de la niñez han contribuido a las sociedades en que vivimos, con sus puntos fuertes y débiles. Tal vez todos nosotros deberíamos recurrir a la denominación de *Homo sapiens,* como a la de *Homo narans,* para designar nuestra necesidad de narrar, y a la de *Homo ludens,* para justificar nuestra necesidad de jugar y reír, como elementos intrínsecos de nuestras vidas.

Los bebés son tremendamente conscientes del sonido. A las pocas horas de nacer, pueden distinguir el habla humana de otros sonidos. Atienden a cualquier actividad humana de su alrededor, sobre todo al intercambio de miradas y a las expresiones faciales. Un niño que señala un objeto está más interesado en tu reacción ante lo que señala que en el objeto en sí: una acción que tira por tierra la extraña idea de que los bebés son egocéntricos por naturaleza. Está interesado en tu reacción, y ya tiene una estructura mental «intersubjetiva» que no posee ninguna otra criatura. Aprende de ti lo que significa ser humano y establece criterios de reacción e interés sobre los que forjará su personalidad. Si te muestras insensible, tu reacción será

asimilada por el bebé y su incipiente disfrute de la vida se verá frenado. Tu bebé quiere tu tiempo, un intercambio de voces, interacciones, movimientos y sensaciones. La respuesta a quién es radica en quién eres tú, y el juego es fundamental.

¿Qué es el juego?

Al igual que con la pregunta «¿qué es el amor?» o «¿qué es la paz?», podemos definir el juego de varias formas. Sin embargo, todas las respuestas a la pregunta son insuficientes, porque las definiciones que empleamos dejan escapar algo que no podemos describir con palabras. El juego tangible contiene cualidades intangibles. Podemos reconocer el juego pero debemos participar en él para comprender y sentir lo que es; cuando se observa el juego desde fuera y solo se teoriza, se pierde la esencia. Implica ambigüedad y misterio, además de un objetivo consciente. Así pues, debemos respetar lo que la naturaleza nos ha dado y estar preparados para vivir en esta tensión, en la que no podemos obtener un beneficio inmediato como una fórmula matemática. Pero también podemos sonreír ante lo incompleto de nuestra existencia: ser una persona es una tarea que nunca se acaba y los bebés nos recuerdan este potencial infinito de crecimiento.

El juego es natural. Pasamos jugando una gran parte de nuestras vidas. El cine, el teatro, las novelas, los deportes, la poesía, la música… todas estas actividades contienen cualidades del juego, y la vida sería muchísimo más pobre sin ellas. Probablemente sobreviviríamos a su pérdida, pero ¿cuán humanos seríamos entonces? En todas ellas podemos encontrar una nueva dimensión de la existencia a través de nuestros sentimientos. Un bebé realiza el contacto inicial con el mundo a través del juego y esto se convierte en un hábito de por vida y en una ayuda para los retos futuros. El juego supone aprendizaje y creatividad, pero también es juego sin más, y esto es lo que lo hace tan difícil de definir.

El juego es también algo sencillo. Para un niño, la sencillez y la repetición son los pilares de la interacción social. Le resulta fascinante ver cómo un adulto recoge lo que él ha tirado al suelo desde la trona. Al niño le encanta escuchar los mismos cuentos y canciones. Estar vivo ya es en sí mismo algo novedoso. El niño asimila los gestos, sonidos, reacciones y humores, y busca una relación de amor individualizada con la mayor intensidad. Hay muchos argumentos para defender un enfoque utilitarista y del desarrollo del juego, y todos son válidos. El juego sí influye en el desarrollo cognitivo, social y emocional, pero aún hay más al respecto.

El juego es una expresión del espíritu humano, y esto se refleja directa y claramente en el niño. Además de decirnos hacia dónde vamos, también nos dice de dónde venimos. El antiguo concepto del niño como una hoja en blanco sobre la que la crianza y la educación escriben una receta para el individuo en proceso de crecimiento ya no es sostenible. Hoy en día, la «herencia genética» supone algo más que dar forma a la individualidad a través del determinismo biológico. Nuestros niños son únicos y llegan a nosotros con carácter y personalidad. El juego es lo que revela esa esencia personal tanto a ellos como a nosotros. Los niños desean nacer y desean que los adultos que los han traído aquí sean sus compañeros a la hora de descubrir el mundo.

Cómo lograr un enfoque equilibrado

Un bebé tiene fuerzas vitales en abundancia, pero necesita que los adultos le ayuden a equilibrarlas para integrarlas en su personalidad incipiente y poder aplicarlas a cualquier cosa que desee hacer con su vida futura. El juego logra esto de una forma creativa y con respeto mutuo. El color, los gestos, los sonidos, las expresiones, el tono y la calidad del material forman parte de una introducción a la vida y, como tal, deberían ser una continuación de la bienvenida emocional positiva que das a tu hijo. Un niño absorbe más de lo que podemos imaginar a través de los sentidos, y el juego hace que esos sentidos se fortalezcan de una manera sana que ejerza una influencia de por vida. El niño posee capacidades de imitación ilimitadas y estas son expresión de un profundo deseo de aprender. Los grandes pasos en el aprendizaje de caminar y hablar

La alegría de ser padres

Muchas de las religiones del mundo reflexionan sobre nuestro destino final y lo que hay después de esta vida terrenal. La llegada de un bebé es un momento propicio para plantearse lo que nos toca en este mundo. La alegría de la paternidad no es solo algo que surge a través de la sensación de éxito, sino también llega a nosotros con el bebé, como un regalo. Cada bebé trae amor a su entorno como una cualidad tangible y una reafirmación de que el amor –o la ausencia de este– conforma la base de nuestras relaciones.

Observa cómo la gente se acerca a tu recién nacido y comprobarás que irradian cariño y bienestar. Sonreirán, olvidarán sus inhibiciones, y rebosarán cariño y alegría. Esto es obra del bebé y, a fin de respetarlo, debemos dejar a un lado nuestras ideas de adulto y estar dispuestos a adentrarnos en un reino que permanecía en el olvido. Nuestros años de educación y experiencia pueden ser una barrera ante los sencillos goces de la vida, capaces de rejuvenecernos y refrescarnos. Nuestro bebé puede ayudarnos a superar las limitaciones adultas si nos entregamos a la interacción del juego. Entonces, trabajaremos con el espíritu humano en movimiento. No hay un momento igual que otro y todos son preciosos.

no son solamente atributos físicos que un niño capta naturalmente, sino que son vitales para su relación con el cosmos y con los seres humanos. Sabemos también que el movimiento corporal de un niño es la base para un posterior aprendizaje intelectual. La sabiduría de la niñez radica en la integración, y separar un atributo de otro para el análisis puede hacernos perder esta visión de nosotros mismos. Exploraremos estas cuestiones a lo largo del libro.

Cómo ayudar a tu hijo o hija

William Blake, en su poema «Pena infantil», escrito como contrapunto a «Alegría infantil» (véase la página 6), describió una bienvenida totalmente diferente que un recién nacido podría experimentar en el mundo, y los efectos que podría producir en el posterior desarrollo del niño:

> *Mi madre gimió, mi padre lloró,*
> *emergí al peligroso mundo*
> *indefenso, desnudo, desgañitándome*
> *como un demonio oculto en una nube.*

El niño ha llegado como una carga y es plenamente consciente de ello. No hace falta decírselo: lo sabe. Esto es una realidad para muchos niños de nuestro mundo, y los niños que han experimentado abusos o represión en su niñez necesitan aún más juego y atención. Numerosos estudios psicológicos han demostrado que la forma en que los niños son aceptados en sus familias tiene una importancia vital para su desarrollo futuro, y que deberíamos estar preparados para dedicar tiempo y devoción a esta tarea si deseamos tener éxito como padres. Los niños necesitan que sus padres hablen, canten y jueguen con ellos, como siempre se ha hecho. Esto supone tener sentido común y sensibilidad hacia las necesidades del bebé.

Hoy existe una tendencia a «forzar a los bebés» por la que el niño se convierte en una unidad competitiva cuyo aprendizaje se acelera para equipararse a otros en el «mundo real». Se basa en una ciencia equivocada y en la histeria de los medios de comunicación, y puede ir en perjuicio del niño, quien podría desarrollar un sentido del fracaso prematuro. El cerebro del bebé no necesita estimulación extra, como sugiere el método reduccionista tan de moda en la actualidad. Un simple juego, canción o cuento despierta y fortalece la capacidad de imaginación, creatividad, empatía, asombro y diversión, que son más importantes para el crecimiento del niño que una base para el aprendizaje futuro.

Ser padres hoy en día

La paternidad no es una tarea fácil en este mundo frenético y turbulento. No obstante, tiene sus recompensas. Las siguientes páginas muestran cómo el juego puede convertirse en una actividad significativa para todos los implicados. Al ser creativo pones algo de ti mismo en los juguetes y esto refuerza tu relación con tu hijo. Deberías tratar tus creaciones con respeto y no despreciarlas porque, para el niño, poseen una realidad emocional. El pequeño sabe qué sentimientos y pensamientos empleaste al hacer los juguetes para él y, en su realidad, son elementos palpables de tu cuidado y atención. A su vez, esto ayuda a desarrollar su conciencia en armonía y equilibrio, y a que sus actividades coincidan con su desarrollo. Esto hace posible que compartas una sensación de asombro mutua.

Este libro es para que tú, y no solo tu bebé, te diviertas. Descubrirás que tu bebé tiene mucho que enseñarte, que puede enriquecer tu vida si estás dispuesto a abrir tus sentidos. El juego es arriesgado ya que exige que nos descubramos y, para un adulto, esto no es fácil debido a la conciencia de uno mismo. No obstante, al aceptar ese riesgo podemos descubrir relaciones similares a las que nuestros hijos tienen con el mundo que les rodea. Jugar con tu bebé es una actividad recíproca, pues ser padre o madre consiste en aprender de igual manera que ser niño consiste en crecer.

La pedagogía Waldorf

La pedagogía Waldorf se originó a principio del siglo XIX a través de las concepciones del filósofo y educador austríaco Rudolf Steiner (1861-1925). Steiner fundó la primera escuela Waldorf en Stuttgart en 1919. En la actualidad hay más de

950 escuelas y 1.500 guarderías Waldorf en todo el mundo. Sus ideas y métodos tienen cada vez más influencia en la corriente educativa y en el cuidado de niños pequeños y en edad preescolar. Se basa en la premisa de que hay momentos en el desarrollo infantil en que hay una propensión a aprender de determinada manera, y que estas fases específicas son universalmente humanas. Además del desarrollo biológico habitual observado en todos los niños, existe también uno interno más espiritual, con rasgos tanto generales como individuales. Por tanto, la metodología consiste en enseñar a los niños de forma apropiada a su edad, lo que exige comprender la naturaleza humana, además de creatividad y respeto por el niño.

Esta forma de enseñar y aprender tiene gran importancia para los padres de bebés y niños pequeños, tal como demuestra este libro. El niño es el centro de este método educativo y se puede aprender mucho a través de la interacción con el niño. Existe una sabiduría inherente a la niñez que beneficia al padre y la madre, o al profesor, no solo por ser más capaz de ayudar al niño a crecer como un participante sano, activo, recto e implicado en el mundo moderno, sino también por continuar el

desarrollo interno de uno mismo. Esto asegura que la relación padre-hijo sea creativa y satisfactoria, con efectos beneficiosos duraderos. La paternidad es una vocación a largo plazo y los resultados de nuestros esfuerzos no se ven hasta después de muchos años. No deberíamos tratar de crear niños a nuestra imagen y semejanza, pues desconocemos sus tareas futuras, sino intentar darles la autoestima, el autoconocimiento y los medios para desarrollar sus propias habilidades. Por eso el juego tiene un papel vital en el hogar y el aula.

Los primeros tres años de la vida de un niño están ligados a la asimilación: absorbe todo lo que haces o piensas. Así pues, criar a un niño tiene mucho que ver con tus valores e ideales. Estos no son solo explícitos en tus actos, sino que también están implícitos en tu comportamiento con otros y con el mundo. Necesitamos ser conscientes de esto para convertirnos en los padres o educadores que nuestros hijos merecen. La pedagogía Waldorf potencia esta actitud ante la vida, no como un artículo de fe, sino como un enfoque filosófico, al tiempo que demuestra que todos tenemos una capacidad innata para actuar así, siempre que se nos dé comprensión y apoyo.

Cuidado

Cuidado

Un niño criado sin la presencia de un adulto nunca sería capaz de alcanzar el potencial pleno de un ser humano. Los niños educados en aislamiento en sus primeros años y que, por tanto, no experimentan sus primeras relaciones con otros, no pueden recuperar dichas experiencias por muchos cuidados y atención que se les dedique cuando sean mayores.

Una vida familiar segura

Desde sus primeras horas de vida, el niño se sumerge en sus relaciones con aquellos que le rodean, sobre todo su madre. Este impulso es una continuación de la experiencia espiritual preparto, en la que había una voluntad de nacer a la tierra y un deseo de ser moralmente eficaz allí. El amor juega un papel crucial en este momento de la vida, con efectos potenciales a largo plazo. Estudios recientes han demostrado que una proporción significativa de quienes, en su propia opinión, no mantuvieron relaciones estrechas con sus madres, experimentaron algún problema mental a lo largo de su vida. Al parecer, el amor que nos rodea en los primeros años es irremplazable.

Un niño necesita ser amado por lo que es. El tiempo y el espacio concedidos al niño para experimentar esta calidad de cuidados y atenciones presentan ramificaciones biológicas, además de emocionales: tienen un efecto real en la formación del cerebro y posiblemente de otros órganos. Para prosperar a nivel físico e intelectual, un niño necesita sentir que respondes a sus necesidades y que puedes encontrar formas de satisfacerlas.

Así pues, el cuidado consiste en crear una vida familiar segura para el bebé. La definición de «familia» puede diferir de cultura en cultura o incluso cambiar en determinadas circunstancias, pero un niño pequeño necesita la presencia constante de un adulto en su vida: alguien que proporcione una relación cálida e íntima en la que pueda confiar a ciegas. A partir de aquí, desarrollará sus propias perspectivas de la vida. En otras palabras, crece sano a través de lo que le das a nivel físico, emocional y espiritual.

Crear equilibrio

Un bebé no posee la capacidad de equilibrar su emociones y, por tanto, depende del adulto para hacerlo hasta que desarrolle dicha capacidad. La ansiedad, estrés, temor y privación emocional inciden en el cuerpo y personalidad del niño e influyen en cómo se enfrentará a dichas situaciones en el futuro. Si eres consciente de tus propios sentimientos y respondes a ellos con sensibilidad, tu bebé aprenderá a asimilar sus sentimientos de forma más armoniosa. Nuestro sentido del equilibrio –que es tanto psicológico como emocional– nos permite enfrentarnos a circunstancias nuevas en la vida y resolver los desafíos y las situaciones potencialmente difíciles. Vivir en un entorno seguro donde exista un equilibrio a través de la devoción y el cuidado en el momento más vulnerable de su vida hace posible que el niño desarrolle esa facultad por sí mismo.

«Somos personas por otras personas.»

Proverbio africano

Una base sensible y afectuosa es el derecho de todo niño y la responsabilidad de todo padre o madre.

Absorción e imitación

Cuidado significa dedicar tiempo y adaptarte a las necesidades de tus hijos. Al hacerlo, contribuyes a que ellos mismos se conviertan en padres responsables: lo que parece ser tu papel en la actualidad tiene repercusiones en las generaciones venideras. Cuando juegas con tu hijo debes entregarte por completo. Él debe ver que pones toda tu atención en lo que hacéis juntos.

Tu hijo es sensible a lo que ocurre a su alrededor e imita lo que ve. Nace con cierta predisposición a identificarse con otros y tiene una capacidad innata para emocionarse sin esfuerzo. Durante las primeras horas, es consciente de las expresiones faciales y a los

dos días comenzará a cambiar su propia expresión facial según lo que observe en la tuya. Una sonrisa o un ceño fruncido en el rostro del padre o la madre tienen un gran impacto. A medida que los sentidos del bebé se desarrollan, esta habilidad amplía su entorno. Es totalmente sensible e imita tanto interna como externamente lo que se le presenta. Está pendiente de lo que haces, cómo te mueves, los sonidos que emites y tus cambios de humor. Todo lo que observa, incluidas tus tareas cotidianas, proporcionan una base para su propio pensamiento y juicio mientras crece y evoluciona hacia su independencia individual de acción y satisfacción. El niño no solo percibe e imita nuestras acciones físicas, sino también nuestras actitudes y formas de pensamiento. A través de la imitación o inmersión, lo que tu hijo busca es la unidad que sentía antes de nacer.

En *La educación del niño*, Rudolf Steiner destaca la importancia que tiene el entorno de un niño en su desarrollo físico y emocional:

> *Los niños no aprenden siendo enseñados, sino imitando. Sus órganos físicos toman forma bajo la influencia de su entorno físico. Una visión sana se desarrolla cuando procuramos que los colores y la luz adecuados estén presentes en el entorno infantil. De igual forma, la base física de un sentido moral sano se desarrolla en el cerebro mediante un sistema circular en el que los niños perciben buenas actitudes en su entorno.*

Cuidado a través del juego

El juego tiene un papel especialmente importante en el desarrollo de tu hijo. Él ya ha practicado el juego en el útero moviendo las piernas o chupándose los dedos. Estas acciones reflejan alegría pura en movimiento y tu hijo espera que esta felicidad continúe después de haber nacido.

No es necesario que dirijas el juego como adulto, sino que puedes lograr que se convierta en una actividad creada por los dos. Para el bebé, el juego es inicialmente social y, después, a medida que pasan los meses, se transforma en algo productivo a nivel cinético, lingüístico y espiritual. No tiene nada que ver con entrenar o ejercitar, sino que es una expresión de su encuentro con otras personas. Como adulto, tu tarea consiste en ser un ejemplo, ser un compañero de juego y proporcionar los materiales y la seguridad para jugar. Estos tres aspectos definen tu papel de cuidador. También debes ser consciente de que tu hijo determina lo que es el juego, y que esto va cambiando. Para disfrutar del juego, necesita de tu respeto; y a través de la imitación también aprenderá respeto. Un niño que reciba este nivel de atención, posteriormente disfrutará de momentos en que también pueda jugar solo. Los mismos sentimientos de seguridad que experimenta al jugar contigo pueden ser invocados a nivel interno: continúa arropado en tus cuidados.

Repetición y teatro improvisado

La familiaridad refuerza la autoestima y lo que podría parecer excesivamente repetitivo para los adultos es motivador para un niño; de ahí su gran deseo de

Cuando el juego resulta excesivo

Al implicarte emocionalmente en el juego con tu hijo, la actividad en sí misma es importante, no solo el resultado final. Sin embargo, el margen de atención del niño es limitado y requiere tratarse con sensibilidad. Hay ocasiones en que el niño necesita despistarse. Esto no supone un rechazo, sino más bien una muestra saludable de equilibrio interior que debería respetarse. El primer juego es un juego social y los niños necesitan apartarse en diversos intervalos, igual que los adultos, a fin de poder participar de nuevo con una intensidad sana.

canciones, versos y juegos repetitivos: proporcionan sensación de seguridad. El juego consiste también en adoptar papeles y, a medida que el niño crece, puede comenzar a percibir que los demás tienen otras perspectivas e identificarse con ellas. A través del juego contigo, el niño puede aprender a diferenciar sus propias experiencias y perspectivas de las de otras personas. Para sentirse seguro de sí mismo necesita ser capaz de imaginarse en el lugar de los otros.

Los animales, marionetas y muñecas son juguetes que ayudarán a desarrollar los instintos infantiles, ya que el bebé imitará tu comportamiento hacia ellos, convirtiéndose en cuidador durante el juego. La sencillez de los juguetes mostrados en esta sección hace que sean únicos y «vivos» para el niño. Asumen un nuevo significado cuando tú los fabricas con esfuerzo y paciencia, pasando a ser objetos de cariño creados específicamente para él. Contempla los materiales que usas en la fabricación de estos juguetes y piensa en los árboles, plantas, tierra y animales como la introducción de tu hijo a la naturaleza y toda su bondad y belleza.

Es importante ser conscientes de cuándo los estímulos son excesivos o insuficientes. Prestando atención a los gestos y expresiones del bebé podrás responder a sus necesidades. El cuidado es una inclinación tanto natural como moral, y esta sensibilidad que muestras se convertirá en la base de la futura sensibilidad de tu hijo hacia los otros.

Muñeco básico

El muñeco siempre ha ocupado un lugar especial en la niñez. Un muñeco que atrae a un pequeño es aquel que resulta agradable de tocar, que pueda ser acariciado y mimado. Sobre todo, es un muñeco que le permita imitar los cuidados que recibe. Cuidar de un muñeco es una respuesta natural del niño que ha experimentado amor en relaciones familiares cariñosas.

A partir de los tres meses, el muñeco perfecto para tu bebé es uno sencillo que tú misma hayas fabricado con amor. Tendrá un valor especial para el pequeño o la pequeña, ya que has puesto algo de ti en su confección. Incluso en esta edad, es importante tratar al muñeco con el mismo respeto y amor que mostrarías por el niño o la niña.

Utiliza tejidos naturales que resulten agradables de tocar, como seda, muselina y algodón. Las telas deben ser lavables, ya que los bebés suelen llevarse los juguetes a la boca. No obligues al pequeño a que acepte el muñeco: espera hasta que él o ella lo cojan solos. La pediatra Emmi Pikler, que trabajó con bebés en Hungría desde la década de 1930 hasta la de 1970, dijo que era mejor «escuchar» las necesidades del bebé: «Ayúdame dejándome dar mis pasos solo».

EL PRIMER MUÑECO

El muñeco con nudos es el modelo más sencillo. Tal vez descubras que tu bebé se vincula a él igual que a un chupete. Es algo que puede llevar consigo allí a donde va e incluso puede chuparlo (motivo por el que no es recomendable poner pelo y, si se pone, es preciso coserlo bien). No hace falta dotar al muñeco de rasgos, ropa o pelo complicados. Procura que sean lo más sencillos posible: no es hasta más tarde que el bebé comenzará a reconocer las «cualidades humanas» de su muñeco y empezará a jugar con él por imitación.

Consejos y trucos

- Procura que los rasgos del muñeco sean lo más sencillos posible, o no pongas ningún rasgo.
- Comprueba que todo el relleno quede bien metido en la cabeza para que el bebé no pueda chuparlo.
- Si pones pelo, cóselo bien y utiliza lana que no suelte fibras.
- Elige telas lavables y rechaza los materiales sintéticos o que encojan.
- Usa colores que reflejen la diversidad étnica.
- Comprueba que todos los hilos estén bien rematados para no dejar cabos sueltos.

«A través del muñeco el niño halla su propio yo.»

Heidi Britz-Crecelius, *Children at Play*

Cómo confeccionar un muñeco básico

Puedes hacer este muñeco rápida y fácilmente a partir de un cuadro de tela blanda y «abrazable», como franela, felpa o seda. Ten en cuenta que deberá lavarse con frecuencia.

Instrucciones

Materiales

Tela suave

Tijeras de costura

Lana cardada sin hilar (en vellón) *

Hilo o hebras de lana

Aguja e hilo de bordar o rotuladores de colores

Hilo o hebras de lana del color del pelo (opcional)

Tela de colores (opcional)

* Carda la lana de oveja sin hilar antes de usarla, peinando suavemente para separar las fibras densas. Un peine «cardador» acelerará el proceso.

1 Corta la tela en forma de cuadrado. Experimenta con distintas medidas, dependiendo del tamaño que quieras dar al muñeco. Opta por un muñeco pequeño para un bebé y uno más grande para un niño de dos o tres años. Dobla el cuadrado por la mitad, en diagonal, para formar un triángulo.

2 Busca el centro del borde doblado, agrupa la tela y rellénala con lana sin hilar para hacer la cabeza del muñeco. Ata el cuello firmemente con hilo o hebras de lana.

3 Decide en qué lado va la cara y elimina las arrugas desplazándolas hacia el cuello. Cose, o dibuja, los rasgos, procurando que sean sencillos y faltos de expresión.

4 Forma las manos haciendo un nudo en cada extremo del borde doblado, o átalos con hilo o lana. Si añades pelo, cose ahora la lana.

5 Si lo deseas, añade ropa hecha con telas de colores. Prueba con un pañuelo para la cabeza o arropa al muñeco con una manta.

Muñeca de tela

Tanto los niños como las niñas necesitan recrear los cuidados que reciben, por eso jugar con muñecas contribuirá a que el pequeño o la pequeña se conviertan en padres cariñosos. Al crecer, el niño implicará a la muñeca en sus primeros juegos imaginativos. Cuanto más sencilla sea la muñeca, más amplio será el campo de imaginación que use el niño para imitar los cuidados que le das.

UNA MUÑECA «VIVA»

Una muñeca bien formada permite al niño tratarla más como una versión de sí mismo. Puede vestirla, llevarla consigo como un bebé, ponerla en una hamaca a dormir o darle de comer. Puede tratar a su muñeco o muñeca como a un amigo, desahogar con él sus frustraciones o cuidarlo como un bebé. Los pequeños comienzan a reconocer cualidades humanas en los muñecos, que luego se vuelven reales para ellos: las niñas suelen imitar las acciones de las madres, mientras que los niños tienden a convertir al muñeco en un segundo yo. Es especialmente importante durante esta fase mostrarse sensible sobre cómo tratar a la muñeca. No la tires al cesto de los juguetes: acepta que es algo «vivo» para el niño.

Cuando confecciones una muñeca adorable, procura que los rasgos sean sencillos. Los ojos y la boca son esenciales, pero dales una expresión neutra para que el niño imagine al jugar la gran variedad de emociones humanas. Añade una cucharita de madera, un cuenco y un chal para arropar a la muñeca… y comenzará el juego. Si tratas a esta muñeca como a tu propio bebé, te sorprenderás de los sentimientos de ternura que despertarás en tu pequeño o pequeña.

Consejos y trucos

- Procura que los rasgos de la muñeca sean lo más sencillos posible.
- Si pones pelo, cóselo bien y utiliza hebras de lana que no suelte fibras.
- Elige tela suave y lavable –felpa, franela o seda– ya que tendrá que ser lavada con frecuencia.
- Rechaza los materiales sintéticos.
- Si quieres añadir ropa o sombreros, elige colores lisos y evita estampados atrevidos.
- Usa colores que reflejen la diversidad étnica.

«*Una muñeca es una imagen de un ser humano y, por tanto, resulta ideal para desarrollar y forjar la imagen de sí mismo que tiene el niño.*»

Freya Jaffke, *Juguetes hechos por los padres*

Cómo confeccionar *una muñeca de tela*

Las medidas facilitadas en las instrucciones pueden adaptarse a la
tela que hayas elegido (y crear muñecas de distintos tamaños),
pero siempre deben guardar la proporción.

Instrucciones

1 Para hacer la cabeza de la muñeca,
forma una pelota dura de lana de
aproximadamente 9 cm de altura. Envuelve
la pelota en un cuadrado de lana y ata el
sobrante con hilo o una hebra de lana. No
recortes el sobrante, pues dará estabilidad al
cuello.

2 Envuelve la cabeza en un cuadrado de
tela blanca de algodón y ata con un hilo
o una hebra de lana, dejando el sobrante.

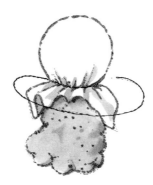

3 Decide en qué lado va a ir la cara y
elimina las arrugas desplazándolas hacia
atrás, ata la cabeza con hilo fuerte en
la parte posterior y cósela.

4 Forra la cabeza con tela de algodón de
color carne, con la trama de la tela en
vertical a lo largo de la cara. Superpón los
bordes en la parte posterior de la cabeza,
oculta por debajo del borde sin rematar y
cose una costura vertical. Ata el cuello con
hilo fuerte y cose.

5 Lleva el borde superior de la tela color
carne hacia la parte posterior de la cabeza,
oculta bajo los bordes sin rematar y cose.

6 Cose los rasgos faciales, procurando que
la expresión sea sencilla. Emplea hilo de
bordar azul y rojo para los ojos y la boca.
Atraviesa la cabeza con las puntadas, desde
el frente hacia un lado en cada puntada.

7 Corta un trozo de tela para los brazos, de aproximadamente 24 × 16 cm. Dobla por la mitad longitudinalmente, con el derecho hacia dentro. Recorta un agujero para el cuello en el borde doblado. Cose las costuras de las mangas y vuelve del derecho.

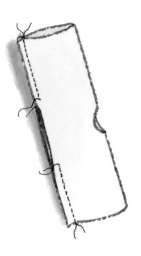

8 Corta otro trozo de la misma tela para las piernas, de aproximadamente 30 × 22 cm. Dobla a la mitad a lo ancho, con el derecho hacia dentro, y cierra con una costura el borde largo para crear una especie de tubo.

9 Vuelve a doblar el tubo de tela de manera que la costura quede en la parte posterior. Dibuja el contorno interior de la pierna sobre la tela y cose una costura continua, tal como muestra la ilustración. Recorta la tela entre las piernas, muy cerca de las costuras.

10 Dobla cada pierna como si fueras a planchar una pinza y cose el pie de delante hacia atrás, describiendo una pequeña curva hacia el talón. Recorta la tela sobrante y vuelve las piernas del derecho.

11 Monta la muñeca. Introduce el extremo del cuello de la cabeza por el agujero del borde doblado de la pieza de los brazos y cose al cuello. Haz una pequeña bolsa con la tela sobrante y rellena bien con lana. Esto formará una barriguita rellena para la muñeca. Cose bien al extremo del cuello.

12 Rellena la pieza de las piernas y da unas cuantas puntadas alrededor de la cintura. Une las piernas al cuerpo relleno, poniendo la cintura fruncida por encima de la barriga. Tensa los hilos y cose la sección de las piernas a la barriga.

13 Rellena la sección de los brazos y luego estira la tela hacia abajo para unirla a la pieza de las piernas a la altura de la cintura. Dobla hacia dentro los bordes sin rematar y cose.

14 Haz una mano con un trozo de tela de color carne de aproximadamente 6 × 4 cm. Dobla por la mitad a lo ancho, con el derecho hacia dentro, y dibuja encima un contorno de mano sencillo como el de abajo. Cose alrededor de la silueta, dejando una abertura en la muñeca para rellenar. Repite para hacer la otra mano.

15 Dobla hacia dentro los bordes sin rematar de las muñecas de la pieza de los brazos, da unas cuantas puntadas, tensa los hilos y cose. Vuelve las manos del derecho, rellena ligeramente y cose a las muñecas.

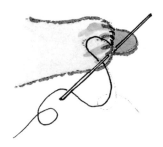

16 Cose hebras de lana para el pelo, sujetándolas bien a la cabeza. Da unas cuantas puntadas alrededor de los tobillos de la muñeca para dar forma a los pies.

Marionetas de suelo

Cuando el bebé se vuelva más activo y comience a jugar en el suelo, estas sencillas figuras le ayudarán a ser más creativo en su interacción con los otros. Son personas reconocibles con las que puede jugar e identificarse. Se mantienen de pie, pero son lo suficientemente suaves como para que las pueda coger con cariño, llevárselas a la cama o de excursión, y, por supuesto, abrazarlas.

TEATRO IMPROVISADO

Construye un pequeño escenario en el suelo para las marionetas, coge una de las figuras y úsala para hablar a otra. Descubrirás que, mientras el bebé se mueve por la habitación, se sentirá atraído por tu juego y comenzará a imitar tus acciones, cogiendo otra figurita y haciendo lo que tú hagas.

Pon nombre a las marionetas: «mamá», «papá», «hermana» o «hermano» van bien, pero si prefieres ponerles nombres propios, procura usar el mismo cada vez que te refieras a un muñeco. Esto ayudará a que tu bebé comience a darse cuenta de que los nombres designan a personas. Cuando juegue con las marionetas de suelo, el bebé puede cuidarlas como si fueran personas de verdad. Las marionetas se vuelven reales en su juego y observarás que el niño empieza a imitar lo que ve que ocurre a su alrededor.

Siempre que interactúes con una marioneta o muñeco, debes intentar que parezca creíble. El bebé descubrirá tu falta de creencia si exageras en la representación. Conversaciones cariñosas y cuidados físicos son las cosas que imitará tu bebé.

ESCENAS DE SUELO

Es fácil montar un escenario en el suelo que involucre a varias marionetas. Pon un trozo de tela de color en el suelo, haz una casita cubriendo una caja con una tela de otro color y crea una valla para el jardín con bloques de construcción (como en la página 78). Si prefieres una escena de granja, emplea tela verde o marrón para los campos y tela azul para un estanque.

Puedes mostrar cómo cuidamos unos de otros haciendo que una marioneta desarrolle actividades cotidianas, como dar de comer a los animales en una granja, a los pollitos en un jardín o a los patos en un estanque. El niño comenzará a imitar tu juego y pronto participará de él. Pondrá una marioneta junto a los animales de la escena para «cuidarlos». Lleva contigo una marioneta al parque para que el muñequito pueda ver a tu bebé dar de comer a los patos: ¡así la marioneta sabrá hacerlo!

Consejos y trucos

- Haz una gran familia de marionetas, comenzando con la madre y el padre.
- Utiliza telas fuertes de colores lisos: el fieltro es ideal porque no se deshilacha.
- Cose bien la cabeza al cuerpo.
- Un disco de cartón fijado en la base ayudará a que las marionetas se mantengan en pie.
- Usa colores de piel distintos que reflejen una diversidad de culturas.
- Cose bien el pelo, bufanda y prendas de ropa.

Cómo confeccionar *una marioneta de suelo*

Utiliza este modelo para confeccionar marionetas de distintos tamaños. Puedes ampliar o reducir las medidas, aunque manteniendo siempre la proporción entre ellas.

Materiales

Lana de oveja cardada sin hilar (en vellón) *

Hilo o hebras de lana

Tijeras afiladas

Tejido de algodón de color carne

Aguja e hilo

Aguja de bordar

Hilos de bordar a juego con los colores de la carne y el pelo

Alfileres (opcional)

Fieltro de colores

Cartón fino

Lana de oveja cardada sin hilar de color del pelo

Tela colorida (opcional)

* Carda la lana de oveja sin hilar antes de usarla, peinando suavemente para separar las fibras densas. Un peine «cardador» acelerará el proceso.

Instrucciones

1 Haz una cabeza firme formando una bola dura de lana de oveja cardada, de aproximadamente 4 cm de diámetro. Forra la cabeza con un cuadrado de lana y ata el sobrante con un hilo o una hebra de lana. No cortes la lana sobrante ya que dará estabilidad al cuello.

2 Forra la cabeza con un cuadrado de tela de algodón de color carne, procurando que el hilo de la tela discurra en vertical respecto a la cara. Superpón los bordes en la parte posterior de la cabeza, dobla hacia dentro el borde sin rematar y haz una costura vertical.

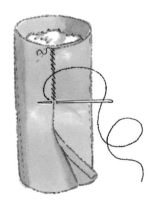

3 Estira el borde superior de la tela de algodón hacia la parte posterior de la cabeza, dobla hacia dentro los bordes sin rematar y cose. Ata un hilo alrededor de la base de la cabeza para formar el cuello.

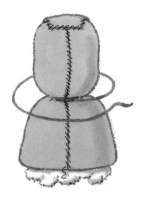

4 Cose los rasgos de la cara, procurando hacerlos sencillos. Si lo prefieres, marca la posición con alfileres.

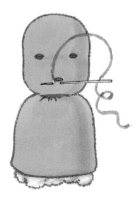

5 Haz el cuerpo. Corta un trozo de fieltro de 9 x 14 cm y cose los lados cortos para hacer un cilindro. Vuelve del derecho, dejando la costura en el interior. Corta un pequeño disco de cartón que encaje en la base del cilindro y un disco de fieltro más grande para rematar el cuerpo (véase el Paso 7).

6 Dobla hacia dentro el borde superior del cilindro de fieltro y da unas cuantas puntadas. Frunce y cose el cilindro a la cabeza.

7 Rellena el cuerpo de fieltro con lana, sin apretar demasiado. Introduce el disco pequeño de cartón y pon el disco de fieltro encima, cosiéndolo a la base del cilindro.

8 Cose un mechón de lana de oveja en la cabeza de la muñeca para el pelo.

9 Añade prendas de ropa si deseas vestir a la marioneta. Confecciónalas con tela de colores.

Mural

En lugar de dar a tu bebé una casa de muñecas –más propia de edades comprendidas entre cinco o seis años–, puedes usar este mural como un lugar para que el pequeño o la pequeña deje los juguetes. Todo tendrá su lugar, y nada gusta más a los bebés que guardar algo… y volverlo a sacar.

JUEGO DE IMITACIÓN

Todos los padres desean que sus hijos aprendan a recoger sus juguetes. El orden debería seguir al juego, igual que la vigilia sigue al sueño. Cuidar los juguetes del bebé dándoles un hogar transmitirá la idea de que lo que has fabricado para tu hijo merece la pena ser cuidado y que todas las cosas deberían tratarse con el cariño y respeto que merecen. A los niños les agrada el orden, y procurar un sitio para cada cosa hace que se sientan seguros.

Enseguida observarás que tu bebé imita tu comportamiento, encontrando el bolsillo perfecto para cada uno de los juguetes que has confeccionado para él usando este libro. Las marionetas de suelo irán en el bolsillo de la casita, los patos en el del estanque, los animales en el corral, y así sucesivamente. Tu bebé no encontrará el bolsillo adecuado de inmediato, ya que todavía no reconocen símbolos abstractos. Esto se aprende por medio del contacto con un pato de verdad en un estanque, o con la súbita toma de conciencia de la propia casa del niño. Ayuda a tu bebé a recoger las cosas, designando cada bolsillo por su nombre para que cada juguete tenga un hogar. La imaginación del pequeño comenzará a funcionar y el mural será también un juguete.

JUGAR CON CANCIONES

Inventa una melodía para una canción «para recoger», que tenga palabras sencillas y pueda ser interpretada con vocecilla cantarina. Puedes cantar la misma canción siempre que recojáis cualquier cosa. Cantarla antes de comenzar a recoger servirá de señal para que el bebé sepa que es hora de guardar los juguetes:

> *Hora de recoger, de recoger,*
> *Es hora de ordenar, de ordenar todo por hoy,*
> *Hora de recoger, de recoger.*

Consejos y trucos

- Procura que el diseño sea sencillo.
- Utiliza una tela fuerte para la base.
- Cose bien los bolsillos, haciéndolos bastante grandes para que quepan los juguetes.
- Comienza haciendo solo unos cuantos bolsillos.
- Cada bolsillo debe ser ser reconocible: un estanque para un pato, un corralito para una oveja.
- Utiliza la imaginación para decorar los bolsillos, pero siempre con sencillez.
- Cuelga el mural a una altura que el niño pueda alcanzarlo: de un picaporte o en la cuna, por ejemplo.
- Fija el mural bien a la pared para que no puedan arrancarlo.
- No cuelgues el mural de ningún mueble que pueda derribarse con facilidad.

Cómo confeccionar un mural

Utiliza la imaginación para diseñar los bolsillos de este modelo. Elige imágenes y motivos que tu bebé pueda reconocer y que reflejen lo que ha de contener cada bolsillo.

Instrucciones

1 Corta la tela de soporte con unas medidas aproximadas de 60 x 90 cm.

2 Haz un dobladillo en los lados largos del mural. Dobla después la parte superior e inferior, dejando una abertura lo bastante grande para introducir la varilla.

3 Dibuja el diseño del mural sobre papel de calco. El objetivo es crear diversos bolsillos útiles y de colores. Extiende el papel de calco sobre la tela para comprobar que todo encaja.

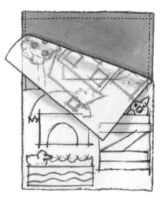

4 Sigue el diseño calcado para confeccionar cada bolsillo con una selección de telas y fieltro de colores. Procura que los bolsillos sean lo bastante grandes para alojar los juguetes en su interior.

5 Cose los bolsillos en la tela de soporte y cose o pega cualquier adorno adicional.

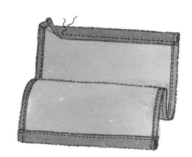

6 Corta cada varilla según el ancho del mural, añadiendo 2 cm en cada extremo para que sobresalga de la tela.

7 Haz con la cuchilla una hendidura a aproximadamente 1 cm de cada extremo de la varilla superior antes de introducir ambas varillas en el mural.

8 Haz una cinta para colgar el mural. Se puede anudar, tejer o trenzar lana gruesa. La longitud final del colgador debe ser de 100 cm.

9 Une la cinta a la varilla superior, atándola en las hendiduras de los extremos y fijándola con cola.

Hamaquita

Mecerse resulta reconfortante, tranquilizante y gratificante. Mecer a una muñeco básico o a una muñeca adorable (véanse las páginas 18 y 21) es también agradable para el niño. Al crear una hamaca para mecer a los muñecos, haces posible que el pequeño «meta al muñeco en la cama» como parte de su juego.

CUIDADO APROPIADO

Puedes colgar la hamaca entre dos sillas, entre la pata de una mesa y una estantería o en la cuna del bebé. También puedes sacarla al jardín, llevarla en las vacaciones o a la playa. Colgar la hamaca en distintos entornos servirá para despertar el juego del que todos los niños son capaces. Tu bebé usará la hamaca como saco de dormir o cesta para transportar al muñeco: hay muchas posibilidades de cambio.

Cuando presentes al niño la hamaca y todas sus opciones, cuida de la muñeca como cuidarías de tu propio bebé. Añade una mantita para arropar al muñeco. Puedes confeccionarla cortándola de un trapo o jersey viejos, pero procura rematar bien los bordes igual que harías si fuera para tu bebé.

Cuando pongas a la muñeca en la hamaca, arrópala con la manta y canta una nana como esta:

> *Arrorró mi niño,*
> *arrorró mi sol,*
> *arrorró pedazo*
> *de mi corazón.*

No te preocupes por las palabras y versos de la nana. Tu bebé no se planteará si riman o no, simplemente se dejará llevar por el ritmo de la cantinela. Enseguida empezará a cantarla o te pedirá que la cantes cuando le metas en la cama.

Meter una muñeca en la cama es una buena oportunidad para demostrar las diversas maneras de expresar cariño: si tratas con afecto a la muñeca, de la misma manera que lo haces con tu bebé, el pequeño o la pequeña tratará de igual modo a la muñeca. A medida que crezca, observarás que su actitud cariñosa también se expresa en la forma en que trata a otros niños.

Consejos y trucos

- Haz un dobladillo en la tela de la hamaca para que no queden bordes sin rematar.
- Lija bien los extremos de las varillas para que no rasquen ni arañen.
- Haz las cuerdas anudando lana o fabricando una soga sencilla.
- Al colgar la hamaca, sujétala a algo estable.
- Demuestra cómo se cuida a la muñeca arropándola cariñosamente con la manta.
- Mece la hamaca suavemente mientras cantas una nana.

Cómo confeccionar *una hamaquita*

Utiliza una tela ligera pero resistente, como muselina o algodón.
Si optas por unas varillas más cortas y frunces la tela, crearás una
hamaca más estable y con más profundidad.

Materiales

Dos varillas de madera

Cuchilla de manualidades
o sierra

Papel de lija

Muselina

Cinta métrica

Tijeras de costura

Aguja e hilo

Lana gruesa

Cola blanca (opcional)

Instrucciones

1 Corta cada varilla con una longitud de
40 cm. Lija bien los extremos.

2 Corta un trozo de muselina que mida
50 × 80 cm. Para reforzar la hamaca, duplica
una de las medidas y dobla la tela por la
mitad. Remata los lados largos con un
dobladillo.

3 Haz un dobladillo en los lados cortos,
dejando una profundidad suficiente para
introducir la varilla.

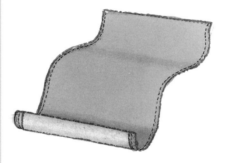

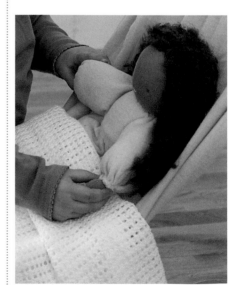

4 Haz con la cuchilla una hendidura a aproximadamente 1 cm del extremo de cada varilla antes de introducir las varillas en la hamaca.

5 Haz dos cintas para colgar la hamaca. Puedes anudar, tejer o trenzar lana gruesa. La longitud final de las cintas debe ser de 55-60 cm.

6 Une una cinta a cada varilla, atándolas en las hendiduras. Fija con cola, si lo deseas. La tela debería fruncirse un poco entre las cintas.

Gallinita

Muchos niños no tienen oportunidad de experimentar el mundo rural, y les resulta difícil imaginar cómo se comportan los animales, e incluso reconocerlos hasta que los han visto. Puedes ayudarles recitando rimas que inciten al bebé a identificar el animal. Al cumplir los dos años, el niño apreciará los cuentos sencillos y repetitivos sobre distintos animales.

LA VIDA EN LA GRANJA

Esta gallinita suave proporciona una buena introducción a los animales de la granja. Las gallinas y pollitos hacen mucho ruido, y el cloqueo y el piar son sonidos que a todos los bebés les encanta imitar. Al principio, el bebé abrazará a la gallina igual que haría con cualquier otro peluche. Es demasiado pronto para que lo reconozca como una gallina. Llamarla «mamá» gallina y ponerle voz ayudará a que tu pequeño comience a hacerse una idea de la diferencia que existe, por ejemplo, con la ovejita tejida (véase la página 42).

Consejos y trucos

- Cose bien la cresta para evitar que el bebé la arranque al mordisquearla.
- Elige un fieltro de color cálido para el cuerpo de la gallina, como un marrón dorado.
- Utiliza el mismo color, o similar, para las alas, evitando el uso de demasiados colores distintos.
- Haz pollitos más pequeños en fieltro amarillo para que la «mamá» gallina pueda cuidar de sus polluelos.
- Pon un «collar» a la gallina para poder atarla a la sillita de paseo.

EL CONCEPTO DE FAMILIA

Si haces otra gallina y algunos pollitos, la mamá gallina y la tía gallina podrán cuidar de sus polluelos. Puedes crear un gallo con fieltro de un color distinto, haciendo una cresta más grande y añadiendo otra para la barba. La escena de una familia con adultos cuidando de sus pequeños es algo con lo que el bebé puede identificarse, y le ayudará a sentirse seguro.

Una posibilidad es poner un plato de «comida» para que la gallina y los pollitos coman (un poco de lana en vellón o recortes de fieltro colocados en una concha o incluso algunas migas de pan). Esto enseñará al niño algunas de las acciones que los pollos hacen al alimentarse, y que él también puede relacionar con las suyas propias.

Es posible ampliar el juego con la familia de gallinas creando un escenario de granja, con las marionetas de suelo (véase la página 26), o dando de comer a las gallinas y pollitos en un corral (hecho con los bloques y vallas de la página 78). Si exclamas «hora de comer» mientras pones la «comida» y agrupas a las gallinas y pollos en torno a ella, crearás en la mente del bebé la impresión de que los humanos y los animales acuden cuando se les llama a comer. Estos juegos también pondrán en evidencia que cuidar de los animales es tan importante como cuidar unos de otros.

Cómo confeccionar *una gallinita*

Confecciona esta gallinita de un tamaño que tu bebé pueda abrazar cómodamente. El ejemplo que ofrecemos mide 12 cm de ancho. Rellénala para conseguir un animal blandito.

Instrucciones

Materiales

Papel

Lápiz

Fieltro marrón

Fieltro rojo

Tijeras afiladas

Aguja de bordar

Hilo de bordar rojo y negro

Cartón duro

Lana de oveja cardada sin hilar (en vellón) *

* Cardar la lana de oveja sin hilar antes de usarla, peinando suavemente para separar las fibras densas. Un peine «cardador» acelerará el proceso.

1 Dibuja un diseño de gallina en papel y úsalo como plantilla para recortar las siluetas en fieltro marrón y rojo. Necesitarás dos plantillas para el cuerpo, dos plantillas para el ala y una cresta.

2 Cose un ala a cada lado del cuerpo, comprobando que están más o menos en la misma posición. Cose con punto de festón en hilo de bordar rojo.

3 Cose las dos partes del cuerpo, con el derecho hacia fuera, a punto de festón. Cose la cresta de fieltro roja en posición entre las dos piezas y deja una abertura en la cola de la gallina para el relleno.

4 Introduce una tira de cartón duro para aplanar la base de la gallina y que se mantenga en pie. Rellena con lana sin hilar hasta que la gallina esté gordita, pero sin llegar a estar dura.

5 Cose la abertura de la cola. Completa la gallina cosiendo un ojo a cada lado de la cabeza con hilo de bordar negro.

Oveja tejida

Una oveja es el primer animal que puedes tejer para que tu bebé juegue. Hay un sinfín de formas de interactuar con un juguete sencillo como este. Puede abrazarlo en la cuna, arrastrarlo con él mientras aprende a gatear y usarlo en sus juegos cuando sea lo bastante mayor para comenzar a jugar de forma imaginativa.

Los niños se identifican con ovejas y corderos, posiblemente debido a las muchas rimas y cuentos infantiles en los que aparecen. Pero también es posible que se sientan atraídos por estos animales debido a la sensación de suavidad que transmite la imagen de la lana; lo mismo ocurre con otros animales, como el conejo. Merece la pena hacer una salida al campo o a una granja cercana para contemplar a las ovejas pastando en el campo en primavera. Todos los bebés y niños pequeños adorarán y se identificarán al ver estas criaturitas tomar el biberón.

Consejos y trucos

- Usa una madeja de lana virgen sin teñir.
- Rellena la oveja con cuidado para darle la forma adecuada.
- Cose bien la oveja para evitar que se salga el relleno de lana.
- Haz la cola con lana retorcida o tejida a ganchillo.
- Crea una familia haciendo una oveja marrón oscura y unos cuantos corderitos blancos.

SINTIÉNDOSE SEGURO

Corderitos, patos y pollitos son los animales de granja preferidos por los niños. Si amplías tu familia de peluches fabricando algunos corderitos para la oveja, podrás mostrar cómo la mamá oveja cuida de sus bebés: igual que tú cuidas de los tuyos. La imagen de un adulto cuidando de sus pequeños es familiar para los bebés. Tu hijo contemplará esto como un reflejo de su propia vida; no de una forma consciente, sino haciéndole sentir profundamente seguro en sus propias relaciones familiares. Cuando un bebé sabe dónde está en el mundo, con un cariño y dedicación que le apoyan, se siente relajado y seguro.

JUEGO EN EL SUELO

Cuando tu bebé sea lo bastante mayor para jugar en el suelo, disfrutará creando escenas contigo. Puedes usar trapos de distintos colores para simular campos y arroyos, piñas para recrear árboles y una gran concha plana a modo de abrevadero. Utiliza vallas de madera de fabricación casera para señalar los límites de la granja (véase la página 78). Añade marionetas de suelo (véase la página 26) que representen al granjero, su mujer e hijos, y crea escenas en las que cuiden de los animales. Esto ayudará a tu bebé a desarrollar su juego de modo imaginativo y comenzará a representar lo que ve ocurrir en el mundo que le rodea, incluyendo experiencias propias.

Cómo confeccionar *una oveja tejida*

Las instrucciones para tejer indican diferentes cantidades que se deben seguir al pie de la letra para realizar la oveja de tamaño grande, mediano o pequeño. Da forma a la oveja cuando la rellenes.

Instrucciones

Materiales

Lana natural sin teñir

Dos agujas de punto de 3¼ mm

Aguja e hilo de coser

Lana cardada sin hilar (en vellón) *

Lápiz

Tijeras afiladas

* Carda la lana de oveja sin hilar antes de usarla, peinando suavemente para separar las fibras densas. Un peine «cardador» acelerará el proceso.

1 Sigue el diagrama para tejer el cuerpo de la oveja a punto bobo (tejiendo cada fila). Usa siempre el primer, segundo o tercer número para una oveja grande, mediana o pequeña.

remate

26 (20, 12) filas

menguar 9 (7, 5) ptos

menguar 9 (7, 5) ptos

12 (10, 8) filas

añadir 5 (4, 3) ptos

añadir 5 (4, 3) ptos

16 (14, 12) filas

menguar 5 (4, 3) ptos

menguar 5 (4, 3) ptos

12 (10, 8) filas

comienzo: 38 (26, 20) ptos

2 Para hacer la oveja grande: echa 38 puntos; teje 12 filas; mengua 5 puntos al inicio de las siguientes dos filas; teje 16 filas; añade 5 puntos al inicio y al final de la siguiente fila; teje 12 filas; mengua 9 puntos al inicio de las siguientes dos filas; teje 26 filas; remata.

3 Dobla la pieza tejida por la mitad en sentido longitudinal. Dobla cada una de las patas por la mitad a la larga y cose para formar un tubo, cerrando el pie. Al avanzar, rellena cada pata con lana de oveja sin hilar. Aprieta bien la lana y usa un lápiz para empujarla hasta el fondo de la pata.

4 Cose la barriga de la oveja, creando un tubo más grande. Rellena la oveja por la cabeza o el extremo posterior, dándole forma al avanzar. Aprieta bien el relleno del cuerpo, aunque no tanto como las patas. Cose la abertura posterior.

5 Haz ahora la cabeza. Une los bordes doblados y cose en A; después, da unas puntadas atravesando las dos capas de tela entre B y C. Tensa para acercar el extremo de la nariz hacia la parte superior de las patas delanteras y crea una forma de cabeza. Rellena y luego cose.

6 Trenza una hebra de lana y cose la cola.

7 Teje las orejas a punto bobo, siguiendo el diagrama. Usa la primera medida para la oreja grande y la segunda para la oveja mediana o pequeña. Para hacer la oreja más grande, echa 4 puntos; teje 2 filas; añade 1 punto al inicio y al final de la siguiente fila; teje 5 filas; añade 1 punto al inicio de las 2 filas siguientes; remata.

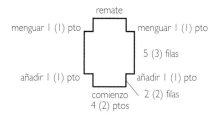

8 Repite para hacer la segunda oreja. Cose las orejas a cada lado de la cabeza.

Pollito de pompones

Es fácil y divertido hacer pompones (véase la página 82) y pueden utilizarse en distintos tamaños para crear la base de diversos animales, incluido este pollito. Un pico y unos ojos darán identidad al pollito, aunque descubrirás que tu bebé no necesita los rasgos adicionales para reconocer al pollito.

IDENTIFICACIÓN

Es posible confeccionar un pollito con un pompón pequeño unido a otro más grande, para crear la cabeza y el cuerpo. Siempre que presentes el pollito con los movimientos y sonidos correctos, el bebé lo identificará

enseguida. Haz el pollo lo bastante pequeño para que el bebé pueda cogerlo y levantarlo con facilidad. A los niños les encanta el tacto suave y amoroso de este juguete, y el bebé disfrutará acercándoselo a la cara. Por ello, su confección debe ser resistente. Si fuera posible, lleva a tu bebé a ver un pollito recién nacido. Los niños reaccionan con alegría ante estos seres y, cuando ven lo frágiles que son estas criaturas, comprenden el cuidado con que deben tratarlas.

Consejos y trucos

- Utiliza telas naturales: pura lana en lugar de acrílica, por ejemplo.
- Emplea colores realistas que no sean demasiado vivos: amarillo claro, por ejemplo.
- Mantén la simplicidad de los rasgos faciales y cóselos bien.
- Para consultar consejos y trucos sobre cómo confeccionar los pompones, lee la página 82.

JUEGO IMAGINATIVO

No te preocupes de que los animales que hagas para tu hijo, como el pollito pompón, la gallinita suave (véase la página 38) y la oveja tejida (véase la página 42) sean de distintos tamaños. Esto carece de importancia para el bebé. A los bebés les importa más la experiencia sensorial y las oportunidades de interacción que ofrecen los juguetes. Esto es lo que refuerza el juego imaginativo.

«*Al ver jugar a los niños, resulta evidente la facilidad con que un niño se imagina a sí mismo en medio de una granja rodeado de animales.*»

Freya Jaffke, *Juguetes hechos por los padres*

Cómo confeccionar *un pollito de pompones*

Este sencillo pollito se ha confeccionado con dos pompones
de distintos tamaños. Se puede cambiar el color y los detalles
decorativos para hacer todo tipo de animales.

Instrucciones

(véase la página 84)

Materiales

Hoja de cartón

Compás

Lápiz

Tijeras afiladas

Lana amarilla

Aguja

Hilo amarillo, naranja
y marrón

Fieltro naranja

1 Sigue los pasos para hacer pompones
(véase la página 84). Forma dos bolas peludas
amarillas: una más grande para el cuerpo del
pollo y una más pequeña para la cabeza.

2 Une el pompón pequeño al grande. Da
unos cuantas puntadas con hilo del mismo
color, procurando atravesar con la aguja el
centro del pompón. Tensa bien para sujetar.

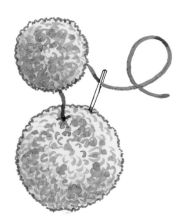

3 Recorta un rombo pequeño de fieltro
naranja, dobla por la mitad para hacer el
pico. Cose por el doblez con hilo naranja.
Introduce la aguja hasta el centro del
pompón y tensa.

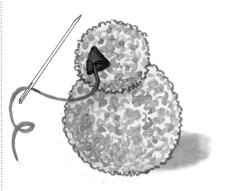

4 Decide dónde colocar los ojos y cose
dos puntitos marrones con hilo marrón.

Conciencia

Conciencia

Los sentidos del bebé son muy agudos y esto hace que se vuelva muy vulnerable a su entorno. Las luces brillantes, los movimientos bruscos, el ruido excesivo, el runrún mecánico y el bullicio del transporte pueden ser parte intrínseca de la vida de un adulto, pero no son necesariamente beneficiosos para la sensibilidad y el desarrollo del niño.

El desarrollo de los sentidos

Aunque no es aconsejable aislar a tu hijo de la realidad, sí es conveniente protegerlo del ritmo agobiante de la vida moderna. Las canciones repetitivas, los juegos sencillos y los cuentos familiares son buenas opciones para tranquilizar al pequeño cuando se siente agobiado ante el exceso de estos estímulos. Cuando sus sentidos estén más desarrollados, llegará un momento en que aprenda a apreciar este mundo contemporáneo de forma adecuada a su edad. No es necesario que un bebé se entienda con el mundo adulto cuando es tan pequeño. Tendrá oportunidad de hacerlo más tarde.

Si bien la estimulación de los sentidos fortalece al bebé y le ayuda a desarrollar una capacidad interior que luego le permitirá enfrentarse a experiencias negativas, debemos estudiar con detenimiento cómo se produce el desarrollo de esos sentidos. En los primeros años, la conciencia que el pequeño tiene de sí mismo está íntimamente ligada al desarrollo de sus sentidos y también al crecimiento de su constitución física. Cada sentido madura de una manera, pero todos tienen su principal período de desarrollo en la edad preescolar y se manifiestan en el juego. Podemos dividirlos en tres categorías: los sentidos anteriores a la primera infancia, que están relacionados con el cuerpo y llevan a una experiencia del yo; los sentidos relacionados con las sensaciones o el pensamiento.

Los sentidos primarios

Uno de los sentidos primarios para el bebé es el tacto. La experiencia regular del contacto físico y amoroso hace que el bebé se sienta seguro y adquiera conciencia de lo que rodea a su propio cuerpo. Cómo el niño es tocado a esta edad afectará a su capacidad de confianza: el abuso físico a esta edad tiene efectos psicológicos negativos profundos en los niños. La privación del tacto también tiene efectos negativos, mientras que el tacto positivo es reparador y puede proporcionar bienestar. Por ello, los juguetes de esta sección están confeccionados con materiales que estimulan el tacto de un modo cariñoso y cercano para el niño, y que le permiten indagar las sensaciones

«Al principio, todo es relación.»

Martin Buber, *Yo y Tú*

de suavidad y aspereza. El pequeño necesita descubrir conceptos como suave y duro, caliente y frío, pero sin experimentar sensaciones extremas. Su ingreso al mundo del tacto debe ser placentero.

Olfato, gusto, vista y oído son cruciales desde las primeras fases de la vida. El bebé posee un agudo sentido del olfato y puede detectar al instante dónde ha estado su madre. Un aroma proporciona conexión o aversión al entorno y una variedad de aromas aportan riqueza a nuestras vidas. La sencillez de los juguetes de este libro no implica que se deje de lado el sentido del olfato del bebé: puedes acercar a tu pequeño a los aromas frescos, suaves y naturales de los materiales utilizados.

Todos los bebés se llevan las cosas a la boca. El sentido y la experiencia del gusto están relacionados con lo que nos resulta atractivo y, por tanto, poseen implicaciones en lo que más tarde nos parecerá estéticamente agradable en nuestro entorno. Así pues, los juguetes deben elaborarse con cuidado: peina el pelo de las muñecas, da puntadas regulares, evita las imperfecciones y lija bien las superficies de madera. Hay que cuidar el aspecto de los juguetes igual que cuidamos el aspecto de los niños, demostrando así que el cuidado de uno mismo se equilibra con el cuidado del mundo y de los otros.

El color y la luz no son solamente atributos físicos sino que también poseen una dimensión espiritual. Juega con colores y, cuando fabriques juguetes, utiliza materiales armoniosos. Las primeras experiencias con el color dan vida al reconocimiento del mundo por parte del niño: los colores tristes y sin vida carecen de interés y pueden ser deprimentes, mientras que los demasiado vivos son chocantes e hiperestimulantes.

Los juguetes que fabriques necesitan relatos que atraigan el sentido del oído del bebé y ofrezcan una oportunidad para desarrollar su capacidad lingüística. Crea historias y encuentra palabras que sintonicen con su atención. Adapta lo que digas o cantes a su capacidad para absorber sonidos y concédele tiempo para que reconozca la belleza inherente de los mismos. Los sonidos excesivos y elevados hacen que el niño se despiste y reducen la conexión personal.

La importancia del movimiento

Uno de los primeros pasos hacia la conciencia de uno mismo viene dado por el sentido del movimiento. El bebé percibe su propio movimiento y se siente fascinado por él. Para un niño pequeño, la experiencia es tan impresionante que desea una repetición continua mientras se esfuerza por controlar su propio cuerpo. Es posible potenciar esto a través de una actividad resuelta y alentando al niño a disfrutar de sus movimientos. No juegues *para* el bebé, convirtiéndole en un observador pasivo; juega *con* él, de manera que tus reacciones sean consecuentes con sus movimientos. El juego no es una agente tranquilizador, sino una vía para el desarrollo. Evita los juguetes electrónicos porque, aunque puedan atraer la atención de forma momentánea, no satisfacen las necesidades de desarrollo del bebé y no dejan margen para los movimientos creativos.

Lo mismo ocurre con las palabras: el tono en que dices algo también aporta significado. Los gestos con que acompañas las palabras refuerzan el sentido mientras hablas o mueves los juguetes y ayudan al niño a descubrir la magnitud de las emociones humanas de forma controlada.

Conciencia emocional

Tu bebé experimenta cariño y armonía en su vida diaria. Cuando todo va bien –cuando hay orden, ritmo y armonía, y las cosas ocurren cuando deben– su sentido de la armonía se potencia. El estrés, los gestos o trato violentos, los nervios y la obstinación en la vida cotidiana pueden impedir el desarrollo sano de este sentido. Los padres no son superhumanos y resulta inevitable que nuestra propia vida y acontecimientos de la misma influyan en nuestra relación con los niños. No obstante, jugar con el pequeño es una forma de recuperar el equilibrio y, por tanto, de restaurar la armonía. Recuerda: las relaciones fluyen en ambas direcciones. Instaurar cierta regularidad en los momentos en que jugáis juntos afectará de manera positiva a los dos. Crea una rutina esperada y entrégate por completo al juego en ese momento.

Tu hijo necesita cariño físico, emocional y espiritual. Le encantan los juguetes que le das, constituyendo este primer vínculo un paso hacia su comunión con el mundo. En el juego, deberías tratar a todos los juguetes con respeto: así tu hijo sentirá la intención amorosa que has puesto en su confección. No hay que subestimar este cuidado cariñoso: la cercanía y la frialdad determinan muchas de las experiencias de la vida y nuestro sentido del cariño tiene una gran influencia en nuestras actitudes y habilidades sociales. Tu cercanía hacia tu bebé debe ser auténtica, ya que los pequeños adivinan cualquier pretensión o exageración.

El desarrollo de la conciencia del yo

El psicólogo experimental Peter Hobson denomina a la experiencia de ser bebé y niño pequeño como «la cuna del pensamiento». A través de sus percepciones, un bebé comienza a aprender lo que está bien y lo que no. El sentido del pensamiento se despierta cuando, normalmente en su segundo año, el pequeño comienza a distinguir su propio yo del de los demás, y empieza a reconocer sus relaciones con el mundo. El hilo narrativo del pensamiento que surge a través

de la actividad lúdica alimenta este sentido y estas conexiones se transforman en significado. Nuestros pensamientos tienden a vagar y se ven muy influidos por nuestros sentimientos, por lo que ser sinceros y precisos resulta esencial. No es necesario enseñar pensamientos a un niño pequeño, ya que él es capaz de extraerlos de su entorno; pero los juguetes y los juegos pueden ser de gran ayuda en ese sentido si involucran al niño en las relaciones sociales.

Si tu hijo experimenta tu cuidado emocional cariñoso y positivo, su sentido de sí mismo y del «otro», o sentido del ego, se verá alimentado. Su primera expresión es en torno al año, cuando su imaginación comienza a explorar su conciencia natural y universal de «intersubjetividad» con interés y alegría. Así pues, los juguetes de esta sección son eficaces porque atraen el interés sano del niño a través de todos sus sentidos y le ayudan a reflejar estados emocionales complejos y cambiantes.

Anillas y sonajeros

Descubrir el mundo y explorar todo aquello con lo que entra en contacto es la principal ocupación de tu bebé mientras está despierto. Pueden ser las manos o los pies, la ropa o la manta de la cuna lo que le fascine. Cuando le das un objeto nuevo, como un juego de anillas o un sonajero, la alegría y el interés se multiplican.

Las anillas y los sonajeros atraen los sentidos del tacto, el oído y la vista, y también estimulan el movimiento y el equilibrio. La sensación de las diferentes texturas de los objetos de un sonajero atraparán a tu bebé y captarán su atención. Disfrutará con los objetos enlazados, prestando interés a su variedad y forma, textura y sonido. Es el comienzo de su capacidad para reconocer una gran diversidad de texturas.

Consejos y trucos

- Cuando fabriques sonajeros de anillas, ata bien todos los elementos.
- No añadas demasiados elementos: los sonajeros no deberían ser demasiado ruidosos.
- Procura que los sonajeros sean sencillos: no deben tener demasiados colores ni estos deben ser muy vivos.
- Lo más probable es que el bebé mordisquee el sonajero: no unas nada que pueda desprenderse.
- Aplica a la madera aceite de linaza o de oliva hervido en lugar de barniz. Deja que se absorba bien antes de sacar brillo a la madera. Así podrá chuparlo.
- Si vas a hacer un sonajero con una cajita con tapa, asegúrate de que no se desmonte.
- Rellena un sonajero de cajita solo con elementos con los que el bebé no pueda ahogarse.
- Los sonajeros de cajita deben ser lo bastante pequeños para que los pequeños puedan cogerlos con sus deditos.
- Ata un sonajero o un juego de anillas a la sillita de paseo cuando salgáis a la calle.

DESARROLLO FÍSICO DEL CUERPO

Si sujetas un sonajero por encima de tu bebé y lo agitas suavemente, reaccionará estirando el brazo y la mano para cogerlo. Esto supone la iniciación de la voluntad de movimiento: la misma fuerza que impulsa al niño en desarrollo a sentarse, ponerse de pie o caminar. Aprenderá a superar los movimientos reflejos involuntarios sobre los que no tiene control y desarrollará los que puede controlar.

Tu bebé disfrutará de la interacción lúdica entre la mamá o el papá y él. Una vez que es capaz de sentarse, su actividad favorita consiste en tirar, dejar caer o lanzar juguetes. Surgirá un juego maravilloso: agitará, golpeará y luego dejará caer el sonajero. Cada vez que lo recojas y lo agites, te lo quitará, reirá con alegría… y lo dejará caer de nuevo. ¡Y así continúa el juego! La repetición es importante, ya que ayuda a desarrollar la fuerza y la coordinación del cuerpo.

Cómo hacer un juego de anillas

Este juego de anillas es fácil de fabricar. Si decides experimentar con distintos objetos, procura que tengan una textura suave y que produzcan un sonido no estridente.

Instrucciones

Materiales

Una anilla de cortina de madera grande, si es posible sin barnizar

Tres anillas de cortina de madera pequeñas, si es posible sin barnizar

Alicates

Papel de lija

Tornillo de banco

Sierra

Abalorio de madera grande

Taladro y brocas

Cola blanca

Aceite de linaza o de oliva hervidos y trapos

1 Prepara las anillas de madera. Retira los ganchos de metal con unos alicates. Si fuera necesario, elimina el barniz lijando.

2 Coloca la anilla grande en un tornillo de banco y corta una abertura de 1,5 cm en la anilla.

3 Introduce en la anilla grande las tres más pequeñas.

4 Coloca el abalorio de madera en el tornillo de banco y taladra cada lado con una broca equivalente al extremo cortado de la anilla grande.

5 Aplica un poco de cola en un extremo cortado de la anilla grande. Retuerce la anilla e introduce cada extremo cortado en uno de los agujeros taladrados en el abalorio. Empuja para que los extremos se junten.

6 Comprueba que las anillas están bien sujetas y trata la madera aplicando aceite de linaza hervido con un trapo. Saca brillo al juguete con un trapo.

Cómo fabricar un sonajero

Las cajitas de cartón rígido que se usan para guardar regalos son ideales para este modelo. Pega bien todos los bordes y asegúrate de que la cola y la pintura que emplees sea segura, ya que los bebés lo chupan todo.

Instrucciones

Materiales

Cajitas de cartón con tapa

Arena, arroz, lentejas (elementos que sean lo suficientemente pequeños como para que el bebé no se ahogue)

Cola blanca

1 Llena hasta un cuarto de su capacidad una caja con granos de arena, arroz, lentejas o cualquier cosa que suene al agitarse.

2 Pega la tapa al cuerpo de la caja extremadamente bien para evitar que se abra al agitarse.

Pelotas de lana

Una pelota pequeña hecha para las manitas de tu bebé supone una excelente forma de adquirir conciencia del movimiento. La pelota no está siempre en el mismo sitio, ni tampoco es fácil de coger, ya que no tiene bordes, esquinas ni piezas sueltas. Un niño pequeño la hará rodar sin parar, pues necesita algo a lo que agarrarse. No obstante, a medida que crezca, disfrutará de la sensación de coger una pelota suave y con textura en la mano, para observarla, girarla… ¡y probablemente degustarla!

JUEGOS DE PELOTA SENCILLOS

Puedes compartir esta experiencia con tu bebé cogiendo la pelota con las manos y pasándosela, recuperándola de nuevo y volviéndosela a pasar. Cuando el bebé sepa gatear y comience a jugar en el suelo, haz rodar la pelota para que la persiga. Hazla rodar despacio y a no demasiada distancia. Cuando esté fuera de su alcance, el bebé gateará hasta la pelota, tocándola para que ruede un poco más, y de nuevo gateará tras ella. Mientras jugáis, puedes canturrear una cancioncilla rítmica:

> *Rueda, rueda mi pelota*
> *rueda, rueda, rueda.*
> *Rueda, rueda mi pelota*
> *rueda sin parar.*

Hay otros juegos de pelota a los que puedes jugar a medida que crezca el bebé, como sentarte frente a él y lanzar o hacer rodar la pelota hacia el pequeño. El niño la cogerá e intentará devolvértela. Si os arrodilláis frente a frente o te sientas con el bebé en tu regazo, imitará tus acciones y aprenderá la repetición rítmica de las mismas, adquiriendo así las destrezas necesarias.

Consejos y trucos

- Confecciona las pelotas lo bastante pequeñas para que el bebé pueda cogerlas con facilidad, pero lo bastante grandes para que pueda llevarlas a la boca sin riesgo de ahogarse.
- Utiliza lana que no desprenda fibras.
- Usa colores lisos que sean suaves y armoniosos.
- Decora las pelotas con puntadas si lo deseas.
- Cuelga las pelotas de la sillita de paseo con una hebra de lana resistente tejida a mano.
- Si al niño le lloran los ojos, es posible que sea alérgico a la lana.

La implicación de más niños en el juego, haciendo rodar la pelota en círculo, o pasándola de mano en mano, es una excelente forma de despertar la conciencia del bebé con respecto a otros. No es fácil devolver algo: exige esfuerzo y voluntad por parte del bebé. No obstante, cuando el pequeño vea que la pelota vuelve hacia él, se sentirá satisfecho y el juego continuará. Cantar mientras jugáis potencia el ritmo de la acción.

«*La pelota es el primer juguete que debería tener
un niño, pues es el símbolo de la totalidad.*»

Friedrich Froebel

Cómo fabricar una pelota de lana

Para fabricar estas pelotas de un modo más rápido, luego de la fase de mojado y enjabonado (véase el Paso 3) se puede meter la pelota en un calcetín y lavarla en la lavadora en un ciclo corto en agua caliente.

Instrucciones

Materiales

Lana de oveja cardada sin hilar (en vellón) *

Hebras de lana de colores hecha con fibra natural

Cuenco

Agua caliente

Detergente líquido o jabón al aceite de oliva

Agua fría

Toalla

1 Haz una pelota de lana de oveja sin hilar enrollando hebras finas y apretando bien. Ve dándole forma de pelota y hazla un tercio mayor que el tamaño final deseado: encogerá en el proceso de fabricación.

2 Utiliza hebras de lana de color en la última capa. Tensa y aprieta bien las hebras de forma aleatoria alrededor de la pelota.

3 Sumerge la pelota en un cuenco con agua caliente hasta que se empape. Rocíala bien con detergente líquido o frótala con jabón al aceite de oliva.

* Carda la lana de oveja sin hilar antes de usarla, peinando suavemente para separar las fibras densas. Un peine «cardador» acelerará el proceso.

4 A continuación, coge la pelota y dale forma como si hicieras una bola de nieve, apretando ligeramente la superficie. Haz rodar la pelota sobre algo plano para darle forma redonda. Continúa apretando y haciendo rodar la pelota, trabajando deprisa para que las fibras exteriores comiencen a cerrarse.

5 Deberás trabajar la pelota durante al menos 5-7 minutos. Después, aclárala en agua fría sin dejar de moldearla tal como se describe en el paso anterior. Esto contribuye a cerrar y sellar las fibras.

6 Vuelve a sumergir la pelota en agua caliente, añade más jabón si fuera necesario y trabájala otros cinco minutos.

7 Aclara bien en agua fría, escurriendo todo el jabón. Sécala haciéndola rodar sobre una toalla.

8 La pelota tardará mucho en secarse. Colócala encima de un radiador para acelerar el proceso.

Móvil de bambú

Tu bebé no necesita grandes cosas para jugar en los primeros meses, ya que su principal tarea es adquirir fuerza física a través del desarrollo de los músculos. También necesita reconocer y comprender su cuerpo, y acostumbrarse a lo que es capaz de hacer. Así pues, los juguetes que puede mirar mientras está tumbado en la cuna, o sentado en la trona o en la sillita de paseo, captarán su atención, sobre todo si producen sonidos.

LAS PRIMERAS IMÁGENES Y SONIDOS

A esta edad, la protección de los sentidos resulta vital. Si el ruido es excesivo o muy elevado impide que el oído se desarrolle bien, lo que perjudica la capacidad de diferenciar entre los sonidos que se oyen. De igual manera, demasiados objetos alrededor de un bebé, sobre todo si tienen colores vivos, pueden resultar abrumadores, y el bebé no se sentirá atraído de la misma manera que si le damos solo un juguete cada vez.

Cualquier cosa en la que el bebé sea capaz de concentrarse en los primeros meses debe estar hecha con materiales simples y debe ser atractiva a la vista. No es necesario que el bebé conozca los objetos, ya que lo hará en cuanto comience a experimentar por sí mismo cuál es la naturaleza a la que pertenecen. Lo que a él le interesa es saber qué hace el objeto… o lo que él puede lograr que haga.

Si cuelgas este móvil de bambú en un lugar donde lo mueva el viento, como delante de una ventana abierta en verano, la brisa lo agitará suavemente y el sonido de las cañas huecas, conchas u otros adornos al moverse creará una dulce música para los oídos del bebé.

Consejos y trucos

- Haz el móvil de un tamaño adecuado para colgarlo dentro y fuera.
- Utiliza materiales naturales que sean fáciles de encontrar y usar: las conchas tienen agujeros naturales para ensartarlas, por ejemplo.
- Usa cordón o hilo resistentes que no se pudran si cuelgas el móvil fuera.
- Lija bien la madera y el bambú para que no queden bordes afilados.
- Protege la madera y el bambú con aceite.
- Mantén todas las partes del móvil fuera del alcance de los niños.

«El bebé es todo sentidos.»

Rudolf Steiner

Cómo fabricar *un móvil de bambú*

Al elegir las cuentas para este móvil, procura escoger algunas que sean de cristal de colores, ya que reflejan la luz mientras el viento las hace girar.

Instrucciones

Materiales

Círculo de madera tratada

Tornillo de banco

Taladro y brocas

Lijadora eléctrica (si tienes que eliminar corteza) o papel de lija

Aceite de linaza o de oliva hervidos y trapos

Bambú

Sierra de calar

Cuerda de nailon resistente

Tijeras afiladas

Aguja larga (opcional)

Cuentas de cerámica o de cristal

Conchas y piedras

Varillas de madera largas (opcional)

1 Pon el círculo de madera, de aproximadamente 25 mm de grosor, en un tornillo de banco. Dibuja dos líneas en diagonal, de esquina a esquina, en un rectángulo de papel más pequeño que el círculo de madera, marcando las esquinas y la intersección de las dos líneas. Coloca el diagrama sobre la madera y síguelo para taladrar cinco agujeritos. Los usarás para colgar el móvil.

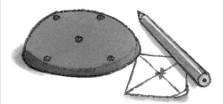

2 Con el círculo de madera todavía en el tornillo de banco, retira cualquier resto de corteza con una lijadora eléctrica. (Si no deseas retirar la corteza por completo, puedes lijar a mano los bordes que sobresalgan.) Para proteger la madera, trátala con aceite y saca brillo con un trapo.

3 Utiliza una sierra de calar para cortar el bambú. Necesitas cuatro cañas de igual longitud. Remata los extremos con una inclinación de 30°.

4 Taladra dos agujeritos, uno frente a otro, en la parte superior de cada caña de bambú. Introduce un cabo largo de cuerda de nailon por los dos agujeros, ayudándote con una aguja si fuera necesario.

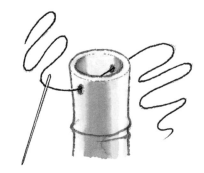

5 Una vez atravesado el bambú, haz un nudo en la cuerda y enhebra una cuenta en ella. Haz otro nudo para sujetar la cuenta. Repite antes de pasar los extremos de la cuerda de nailon por uno de los agujeritos de los bordes del círculo de madera. Haz otro nudo para sujetarlo y, si lo deseas, añade otra cuenta.

6 Repite el Paso 5 con las tres cañas de bambú restantes.

7 Haz una cuerda central adornada con cuentas de colores y/o elementos naturales. Pasa el final de esta cuerda por el agujero central del círculo de madera. Sujétalo tal como se describe en el Paso 5.

8 Reúne todos los extremos de las cuerdas por encima del círculo de madera. Puedes retorcerlos, trenzarlos o anudarlos para unirlos en el centro del círculo y colgar de ahí las cañas. Una forma eficaz de hacer esto es enhebrarlos en cuentas de madera grandes.

Móvil de macetas

El cariño que emana de ti despierta una reacción diferente en tu bebé a la que le provoca un objeto. Si le das a tu bebé un objeto, jugará con él durante unos minutos y lo dejará. Si le das tu dedo, jugará con él y seguirá agarrado a él, porque te pertenece. Él puede sentir tu amor, cuidado y atención, y sus sentidos se despiertan ante esta sensación.

CONCIENCIA DE SU ENTORNO

Al observar detenidamente el desarrollo del bebé, descubrirás con facilidad cuando está preparado para «jugar» con un objeto ya que, a medida que crece, adquiere conciencia de su entorno y de lo que tú haces en lugar de quién eres.

Tener un móvil para contemplar –sobre todo uno musical– contribuye a que el bebé desarrolle una conciencia de los objetos que le rodean. Cuelga campanitas de macetas con lazos o cuerdas de distintas medidas por encima de la cuna del bebé o frente a una ventana. Puedes mover las campanitas para que tintineen mientras descansa el bebé.

Consejos y trucos

- Utiliza macetas pequeñas.
- Utiliza madera tratada.
- Pinta las macetas con pinturas acrílicas y recúbrelas con barniz apto para niños.
- Procura que el hilo sea resistente y no se rompa.
- Experimenta con distintos objetos para producir una diversidad de sonidos.
- No cuelgues las campanillas a una altura que esté al alcance del niño.
- Los niños más mayorcitos disfrutarán tocándolas, sobre todo mientras les cantas.

JUEGO RÍTMICO

Desarrollar el sentido del ritmo del bebé a través de la música es una experiencia maravillosa para él y para ti. Con el pequeño sentado en tus rodillas, puedes coger una campanita y cantarle, tocándola ocasionalmente durante la canción. Enseguida el bebé querrá coger y agitar la campanita mientras le cantas. Esta imitación es un impulso sorprendente.

A medida que tu bebé crezca y comience a interactuar con otros niños, puedes «tocar música» agitando campanitas y sonajeros mientras cantáis.

«Los bebés se sienten estimulados a través de la interacción con otros humanos.»

Rosa Barocio, *Disciplina con amor*

Cómo fabricar un móvil de macetas

Puedes usar varias macetas pequeñitas para fabricar un móvil
o emplearlas de forma individual para tocarlas con los dedos
y hacer que su tintineo deleite a tu bebé.

Instrucciones

Materiales

Macetas pequeñas de
distintos tamaños

Pinturas acrílicas

Pincel

Barniz apto para niños

Hilo resistente

Tijeras afiladas

Cuentas y abalorios

Círculo de madera tratada

Tornillo de banco

Taladro y brocas

Lijadora eléctrica (si
tienes que eliminar
corteza) o papel de lija

Aceite de linaza o de oliva
hervidos y trapos

1 Pinta las macetas con un diseño de tu
elección y déjalas secar. Después, barnízalas.

2 Decide la longitud de las cuerdas del
móvil y corta la medida correspondiente
de hilo resistente para cada maceta.

3 Fija una cuenta o abalorio de cerámica en
un extremo del hilo. Servirá de badajo. Ata
otra cuenta a cierta distancia del hilo para
que el badajo cuelgue libremente dentro
de la maceta (este abalorio debe ser más
grande que el agujero de la base de la
maceta para evitar que se salga).

4 Pasa el extremo contrario del hilo por
el agujero de la base de la maceta y tira de
forma que el badajo quede en el interior
de la maceta. Decora el hilo con cuentas y
abalorios de distintos tamaños. El abalorio
situado junto al agujero debe ser lo bastante
grande para que no atraviese el mismo.

5 Pasa los hilos por el agujero de
los abalorios y sujétalos con nudos.

6 Si deseas fabricar un móvil, coloca las macetas en el círculo de madera para decidir dónde deberían colgarse, de modo que no se choquen entre sí al moverse con el viento. Marca la posición de los agujeros para las cuerdas de las macetas y las cuerdas para colgar el móvil. Taladra los agujeros. Para las últimas, haz dos agujeros cercanos en cada punto señalado para deslizar la cuerda por uno y sacarla por el otro.

7 Coloca el círculo de madera en un tornillo de banco y taladra agujeros para las cuerdas de las macetas y también para las cuerdas de las que irá colgado el móvil. Si deseas eliminar toda la corteza, levántala con una lijadora eléctrica. También puedes eliminar los bordes de corteza ásperos con papel de lija. Aplica aceite y saca brillo con un trapo.

8 A continuación, enhebra las cuerdas para colgar el móvil, procurando que sean lo bastante largas para conseguir la caída deseada. Enhebra las cuerdas de las macetas y asegura los extremos con abalorios y nudos.

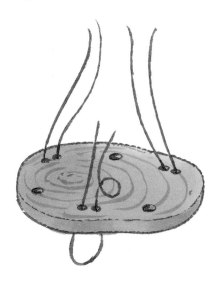

Acción

Acción

Aunque no hay dos niños iguales, se puede encontrar un patrón similar de desarrollo infantil en todo el mundo. Al observar los cambios en los movimientos y gestos de un niño, obtenemos una visión de los cambios internos, que podemos interpretar y ante los que es posible reaccionar en consecuencia.

Primeras actividades

Durante el primer año de vida, el bebé es una criatura de gusto y tacto, que conoce el mundo más a través de estos dos sentidos que a través de la vista. El gusto cobra prioridad durante los primeros meses, después el tacto, y solo al final del primer año la vista comienza a jugar un papel importante. El proceso implica tanto un distanciamiento sensual como una conciencia del yo en crecimiento: primero el bebé necesita probar el mundo con los labios y la lengua, y después tocar y mover los brazos y manos antes de observar, fijar la mirada y señalar cosas. Aunque la vista y el oído del bebé están abiertos al mundo desde el nacimiento, no los usa directamente para investigarlo hasta que es capaz de controlarlos.

Las manos están sujetas a la misma investigación oral: se las meten en la boca y chupan los dedos, puños y pulgares. El niño necesita haber saboreado las manos antes de usarlas, lo que ocurre aproximadamente a los cuatro meses, cuando comienza a intentar agarrar objetos. Cuando progresa con sus manos, el primer movimiento es el de agarrar, y aquí también se observan fases de refinamiento en la manipulación del pulgar y el resto de los dedos: a los tres meses tiene lugar el cruce del eje ocular y, con él, la habilidad para fijar la vista, lo que hace posible el inicio del juego digital; a los cuatro meses el bebé puede agarrar un objeto con ambas manos y los dedos flexionados; a los seis meses es capaz de agarrar cosas con una mano; a los siete meses puede sujetar un objeto entre el pulgar y el índice; y a los nueve meses entre las yemas del pulgar y el índice. A los 18 meses esta habilidad ha sustituido por completo a la oral.

Descubriendo el mundo

Los ojos del niño enfocan bien a partir de los ocho meses, y hasta entonces los usa básicamente para localizar cosas. Entonces puede fijarse en un objeto, y en este punto la mirada del niño es intensiva y observadora. Durante el segundo año lo será menos, ya que las cosas le son más familiares.

El bebé tiene que descubrir primero su propio cuerpo y, cuando habita en él con satisfacción, puede usarlo para descubrir el mundo que le rodea. Lo hace perfeccionando sus sentidos y adquiriendo más conciencia del movimiento. Esto está relacionado con los juguetes que le das. Deben tener cierta flexibilidad para que sus dedos puedan manipularlos, y deben estimular los sentidos del niño para que los coja con confianza. Los primeros dos años de la vida de los niños son universales para todos: los niños se divierten jugando con muñecas igual que las niñas. La importancia radica en que el bebé sea capaz de encontrar su yo a través del juego.

«*El juego es la máxima expresión del desarrollo humano en la niñez, pues es en sí mismo la libre expresión de lo que hay en el alma del niño.*»

Friedrich Froebel, *La educación del hombre*

Solo hacia la mitad o el final del segundo año comienzan a observarse diferencias en la forma en que juegan niños y niñas. Por ejemplo, cuando se les presenta una cocinita, las niñas tienden a usarla para cocinar para sus muñecas mientras los niños prefieren desmontarla para ver cómo funciona.

El desarrollo del juego

El médico pediatra suizo Remo Largo clasifica el desarrollo del juego del niño entre el primer y el segundo año de edad en diferentes fases. A los nueve meses, comienza la primera fase del juego funcional, durante la cual el niño agarra un objeto y lo acerca hasta lograr un contacto directo con su cuerpo; por ejemplo, llevarse una cuchara a la boca para comer. A los 12 meses comienza la primera fase de juego representativo, en la que el niño utiliza un objeto según su función. Usa una cuchara para dar de comer a una muñeca como si fuera un bebé. En la segunda fase de juego representativo (de los 18-21 meses en adelante), el niño manipula el objeto como si la muñeca lo usara ella sola, poniendo la cuchara en manos de la muñeca y moviendo el brazo para que coma.

En otras palabras, el niño da vida a la muñeca. En torno a los dos años, el niño comienza a desarrollar el juego secuencial, donde los acontecimientos como la comida son representados en secuencia a medida que los experimenta en su propia familia. A partir de esta edad, el niño se implica más en el juego simbólico, en el que un objeto puede representar algo más; por ejemplo, una fila de muñecas pueden convertirse en personas que van en autobús. El niño comprende que una cosa puede representar otra y es capaz de reaccionar al juego representativo del cuidador.

Este desarrollo significa un despertar de la imaginación, todavía inconsciente y, por tanto, sin la posibilidad de recordar. El niño aún no posee un sentido del tiempo en el que situar los recuerdos. Un juguete sencillo es también atemporal y tu pequeño jugará con él durante más tiempo que con algo que no deje lugar para la fantasía. La fantasía, que se forja en los años siguientes, es esencial no solo para

La importancia del movimiento para el pensamiento

En los últimos tiempos hemos adquirido más conciencia de la conexión existente entre el movimiento y el pensamiento. El movimiento es el maestro del cerebro y expresa intención dentro del individuo. El desarrollo natural en el niño de una acción como agarrar forma parte del perfeccionamiento de la inteligencia motora sensorial y, con el tiempo, evoluciona hasta crear la idea de agarrar en la mente a medida que jugamos y relacionamos nuestras ideas.

el desarrollo sano de los sentidos sino también para el cerebro. Transformar una alfombra en algo más es una actividad que exige esfuerzo y proporciona una base para posteriores capacidades de pensamiento.

Caminar y hablar

Aprender a caminar también tiene un elemento de diversión y requiere disponer de recursos. Implica una sensación de emancipación por la que el niño puede comenzar a seguir su propia voluntad y dirección: imagina la amplia sonrisa que ilumina el rostro de tu hijo al dar sus primeros pasos. Los genes dan al bebé una disposición para caminar, pero la postura erguida procede de la imitación y la automotivación. No es un reflejo innato sino que nace de una fuerte voluntad de ser como las personas que le rodean. Los niños que no han sido criados por humanos, sino por animales, como el «niño lobo» de Ceilán, o el «niño gacela» del norte de África, no adquirieron esta postura. Hoy en día nos parece natural, pero en las sociedades antiguas la rectitud física tenía un significado moral y religioso. El respeto, la reverencia, la compasión y la devoción están relacionados con nuestra rectitud. Es la postura moral del ser humano.

Cómo el niño aprende a hablar es todavía un misterio. Evidentemente, se basa en escuchar y, como un bebé absorbe e imita, los elementos del habla que usamos, como el timbre, la suavidad y el tono, son importantes para la adquisición del lenguaje.

La belleza del lenguaje

En el juego no es necesario explicar las cosas: esto es ajeno a la conciencia irreal del niño. Trata de encontrar la belleza del lenguaje hablado en el ritmo, la repetición, una ampliación gradual de tu vocabulario, la riqueza emocional y la sinceridad. Inicialmente los labios del niño imitarán el movimiento de los tuyos. Para los menores de un año, las vocales son importantes por su claridad y potencial creativo. Cumplido el año, las consonantes, con su efecto más formado, adquieren relevancia.

Mientras mueves los juguetes e inventas historias sobre ellos, el uso de gestos y movimientos de las manos adecuados al ritmo, la rima o el relato potenciará la atención del niño hacia el lenguaje. Cuando adquiera más control de sus propias manos, imitará tus gestos. Cantar al bebé desde que nace favorece notablemente el posterior desarrollo del habla. El canto contiene ritmos y tonos repetitivos que el niño encuentra tranquilizadores. Al cantar mientras fabricas los juguetes de esta sección harás que tu bebé disfrute de tu presencia activa aún más. Crea tus propias canciones al ritmo de tus manos. Así, tu juguete tendrá su propia canción, y esta formará parte del juego, de manera que habrá conexión entre el juego y la fabricación del juguete.

Bloques y vallas

Pueden usarse bloques de formas diferentes para crear un sendero, un puente, una pared, un castillo… Un bloque cilíndrico con un círculo de madera encima será una mesa, rodeada de tronquitos a modo de sillas. Las vallas más frágiles son para niños más mayores, que imitarán tus acciones.

BLOQUES

Puedes ayudar a tu hijo a construir torres, castillos y muros, o simplemente a apilar bloques… y nada le gustará más que derribarlos una y otra vez. En poco tiempo se aficionará a apilar, intentando colocar pacientemente un bloque encima del tuyo: así es como aprende. El equilibrio es una de las habilidades más difíciles de adquirir. No solo requiere control del movimiento corporal, sino también algunas destrezas de motricidad fina. Es necesario que tu hijo practique a poner un objeto encima de otro una y otra vez hasta que, por fin, logre construir una torre. Si los bloques son muy regulares, esta actividad es mucho más sencilla que cuando el bebé tiene que poner en equilibrio objetos más irregulares.

Para los bebés muy pequeños, el simple hecho de recoger los juguetes para llenar una cesta es una actividad maravillosa. Si deslizas cada tronquito por encima del borde de la cesta, creando expectación ante la caída del mismo en el interior, el bebé te imitará. A medida que crezca, este simple movimiento pasará de ser un juego a convertirse en una actividad que le ayudará a obtener satisfacción en el entorno ordenado que creáis juntos. Siempre sabrá dónde encontrar los bloques si los quiere otra vez.

Consejos y trucos

- Utiliza madera seca: abedul, avellano y cerezo son las más adecuadas.
- Haz bloques de distintas formas y tamaños.
- Usa bloques grandes para los niños más pequeños, retirando la corteza y lijándolos bien.
- No es necesario retirar la corteza para los bebés mayores de un año, siempre que esté bien sujeta.
- Lija siempre los bloques y vallas para que no haya bordes ásperos.
- Procura que los postes de las vallas estén hechos con troncos bien cortados que se sostengan.
- Asegúrate de que los travesaños de las vallas estén bien pegados y/o clavados.
- Trata todas las superficies cortadas con aceite de linaza u oliva hervido, y frótalas bien con un trapo.

VALLAS

Si le presentas al niño las vallas mientras juega en el suelo, imitará tus acciones. Abrir y cerrar una valla o hacer que los animales salten por encima puede ser un juego repetitivo adorable.

Al crear un paisaje, con una tela verde a modo de campo, vallas para evitar que se escapen los animales y piñas como árboles, el bebé se sentirá estimulado a representar lo que reconoce en su entorno. También puedes introducir las marionetas de suelo y otros animales. Más tarde, cuando lleves al bebé a una granja o al campo, comenzará a reconocer las vallas y los animales en su entorno natural.

Cómo fabricar vallas de madera

Puedes hacer vallas de distintos tamaños modificando el número de travesaños o postes. Fabrica una valla con cinco travesaños, por ejemplo, o una con los travesaños cruzados.

Instrucciones

Materiales

Ramas secas

Sierra

Papel de lija

Formón

Palitos de madera planos

Cola blanca o martillo y puntas finas

Aceite de linaza o aceite de oliva hervidos (opcional)

1 Para cada valla de dos travesaños, corta con una sierra dos ramas de árbol de 25 mm de diámetro en trozos de 10 cm.

2 Utiliza papel de lija o la parte lateral de un formón para retirar los cachos de corteza sueltos. Empuja el formón en sentido contrario al cuerpo.

3 Lija y remata los extremos de los troncos para que se mantengan en pie.

4 Utiliza palitos de madera planos para crear los travesaños, pegándolos a los tronquitos con cola blanca y/o clavándolos con puntas finas. Si lo prefieres, trata las superficies cortadas con aceite y saca brillo con un trapo.

Cómo fabricar bloques de madera

Para los niños mayores de un año, puedes dejar la corteza
de estos bloques, pero procura lijar o eliminar con el formón
cualquier trocito áspero o que pueda desprenderse.

Materiales

Ramas secas

Tornillo de banco

Sierra

Papel de lija

Formón

Lijadora eléctrica (si vas a
retirar toda la corteza)

Aceite de linaza o aceite
de oliva hervidos
(opcional)

Instrucciones

1 Coloca una rama en un tornillo de banco
y corta varios discos y cilindros, de diámetros
comprendidos entre 2,5-12 cm y de una
altura aproximada de 1,5-12 cm. Necesitarás
una gran variedad de tamaños para apilar los
bloques uno encima de otro.

2 Utiliza papel de lija o el lateral de un
formón para eliminar cualquier trozo de
corteza que esté suelto. Empuja siempre
el formón en sentido contrario al cuerpo.

3 Lija y remata los extremos de los troncos
para que se mantengan en pie.

4 Si deseas eliminar la corteza por
completo, pon los bloques en un tornillo
de banco y líjalos con una lijadora eléctrica
hasta que estén perfectamente suaves.

5 Si lo prefieres, trata las superficies lijadas
con aceite y saca brillo con un trapo.

Pompones

Resulta relajante hacer pompones. Es algo que se puede empezar y acabar rápidamente, y no exige gran concentración. Introducir y sacar la lana otorga una sensación repetitiva agradable y lo puedes hacer sin problema mientras cantas a tu bebé para que se duerma. La acción repetitiva es tranquilizante para los dos.

DELICIAS SENSORIALES

Los pompones son más adecuados para bebés que ya saben gatear o andar. Los bebés demasiado pequeños se llevan a la boca todo lo que tocan y el pompón puede comenzar a deshacerse, a menos que se ate bien durante su confección. Una idea es colgar unos cuantos pompones de una cuerda atada de uno a otro lado de la cuna para que el bebé estire los brazos y trate de tocarlos.

Los pompones son suaves y esponjosos. Achucharlos es una experiencia sensorial maravillosa para cualquier bebé mayorcito. Si cuelgas un pompón de una cuerda corta, el pequeño pasará ratos inolvidables tocándolo y empujándolo. La sensibilidad que tu bebé desarrolla a partir del contacto o del juego con estos pompones también ayuda a potenciar su sentido del tacto.

Consejos y trucos

- Utiliza un ovillo de lana gruesa o hebras de lana cardada.
- Usa cartón duro para los anillos: así no se doblarán.
- Corta el agujero lo bastante grande para atravesarlo con la lana.
- Al hacer pompones, asegúrate de usar lana que no suelte fibras.

JUGUETES VERSÁTILES

Los pompones son muy fáciles y rápidos de hacer. Podrías confeccionar dos de distintos tamaños, uno para la cabeza y otro para el cuerpo, y luego combinarlos para crear una gran variedad de juguetes, como el pollito de la página 46.

«Los comienzos de la creatividad surgen cuando los bebés se ven a sí mismos como el motor que hace que ocurran cosas.»

Tina Bruce, *Cultivating Creativity in Babies, Toddlers and Young Children*

Cómo hacer un pompón

Los pompones son increíblemente versátiles y pueden ser unidos o recortados para hacer todo tipo de juguetes blandos y divertidos. Un solo pompón colgado de una cuerda es divertido para el bebé.

Instrucciones

Materiales

Hoja de cartón

Compás

Lápiz

Tijeras afiladas

Lana

Aguja (opcional)

1 Utiliza un compás y un lápiz para dibujar dos círculos de cartón. Deben ser del mismo tamaño.

2 Dibuja un círculo más pequeño en el centro de cada uno. También deben ser del mismo tamaño: la mitad del radio del círculo grande.

3 Recorta los círculos grandes y después los pequeños para obtener dos anillos idénticos.

4 Pon los anillos juntos y empieza a enrollar lana alrededor de ellos, tensándola y repartiéndola bien. Si lo prefieres, usa una aguja. Continúa hasta rellenar el agujero.

5 Con unas tijeras afiladas, comienza a recortar la lana alrededor de la circunferencia del anillo. La idea es cortar entre los dos cartones.

6 Coge una hebra de lana y ponla entre los dos anillos de cartón. Enróllala alrededor del centro un par de veces, tensa bien y ata un nudo. Si lo deseas, une un cabo de lana para colgar el pompón.

7 Corta el cartón, que puede desecharse.

8 Esponja el pompón y recorta los extremos que sobresalgan si fuera necesario.

Barquito de madera

Jugar con agua es divertido para la mayoría de los niños, y a los bebés les encanta más que a nadie salpicar y flotar. A medida que los bebés crecen y son capaces de sentarse en la bañera, quieren juguetes para jugar en el agua. Tu bebé no se sentirá frustrado si los barcos se dan la vuelta en el agua, y disfrutará empujándolos y viéndolos flotar. ¡Tu papel consistirá en empujarlos de vuelta!

JUGUETE FLOTANTE

Construir un barco con un trozo de madera, que flote de forma natural, es una sencilla forma de fabricar un juguete flotante. Procura que tu diseño sea sencillo: los bebés no necesitan velas en el barco hasta que saben lo que es un barco de vela (observar barcos en el río o llevar al niño a remar transmitirán esta idea). Puedes modificar el diseño, dejando la corteza (siempre que no tenga bordes que puedan desprenderse), por ejemplo, o hacer el barco más ancho para que quepan muñequitos.

Fabricar el barco con un trozo de corteza es una actividad creativa e imaginativa: buscar las formas adecuadas en la naturaleza te ayudará a desarrollar una vista sensible a las formas. Lijar o tallar un trozo de madera delante del niño es una actividad rítmica que le encantará contemplar. Sentir la aspereza del papel de lija y la suavidad de la madera también le ayuda a desarrollarse a nivel sensorial.

JUGAR CON EL BARQUITO

Cuando el bebé se mueva más y pueda jugar en el suelo, crea lagos y ríos con tela azul y fabrica velas con plumas, tela o papel. El bebé disfrutará llenando los barcos con personitas, animales o incluso conchas y flores. Los animales también pueden bajar a la orilla del lago a beber y contemplar los barcos, y los patos también pueden flotar en el río. Si vais a jugar fuera, puedes hacer navegar el barquito por una charca o crear un riachuelo en el jardín o en un arenero.

Mueve el agua suavemente mientras jugáis, dejando que el bebé sienta su movimiento y observe cómo flota el barquito. Prueba a cantar dulce y rítmicamente a la vez. A los niños les encantan las cancioncillas, y tu pequeño disfrutará repitiéndola una y otra vez:

Rema, rema, rema ya
por el río irás.
Rema, rema que remarás
y a puerto llegarás.

Consejos y trucos

- Utiliza madera seca.
- Procura retirar los trozos de corteza que estén sueltos.
- Los barcos son más adecuados para bebés mayores, ya que requieren la capacidad de estar sentado.
- Añade personitas u objetos al barco durante el juego para que puedas inventar una historia.
- Vigila siempre a tu bebé cuando juguéis con agua.

Cómo fabricar *un barquito de madera*

Este sencillo diseño de barco es un gran juguete para el baño.
Puedes simplificarlo para bebés pequeños retirando el mástil
y la vela, dejando únicamente la forma básica.

Instrucciones

Materiales

Papel

Lápiz

Plancha de madera
sin corteza

Tornillo de banco

Sierra de calar

Taladro y brocas

Varilla de madera fina

Sierra

Cola blanca

Fieltro de un solo color

Aceite de linaza o aceite
de oliva hervidos y trapos

1 Crea una plantilla sencilla doblando un
trozo de papel por la mitad, dibujando una
forma base de medio barco, recortándola y
desdoblándola. Sigue la plantilla para dibujar
la forma base del barco en la plancha de
madera (de aproximadamente 25 mm de
grosor) y marca la posición del mástil a lo
largo del eje horizontal.

2 Coloca la plancha de madera en un
tornillo de banco y recorta la silueta del
barco con una sierra de calar. Con la base
del barco todavía en el banco, taladra el
agujero para el mástil, procurando no
atravesar la madera. Utiliza una broca
acorde al tamaño de la varilla.

3 Usa un trozo de varilla fina para el mástil,
serrándola a la longitud deseada y pegándola
en la posición elegida.

4 Corta un triángulo de fieltro, dóblalo
por la mitad y rodea con él el mástil. Pégalo,
recortando el fieltro si fuera necesario,
y pega presionando para sellar el borde
abierto. Protege la madera con aceite
y sácale brillo con un trapo.

Tren de madera

Un juguete de empuje clásico, como este pequeño tren fabricado con trozos de madera, es un elemento de juego ideal para un bebé que empieza a moverse, ya que permite fomentar la actividad y el movimiento. El ritmo es especialmente importante en el desarrollo del niño. Al repetir un ejercicio, descubrirá nuevos movimientos, reforzará nuevas habilidades y fortalecerá los músculos.

¡VIAJEROS AL TREN!

La fabricación de este pequeño tren de madera requiere cierta destreza. Al principio puedes usar un trozo de madera de forma simple con bordes redondeados, y alisar la base para que apoye cómodamente en el suelo. Un trozo de madera puede ser un vagón; varios pueden ser un tren.

El modelo ofrecido permite ser creativo. Talla agujeros en la madera para hacer asientos. Puedes crear una locomotora para la parte delantera del tren, cortando la mitad superior de un vagón y tallando un morro apuntado. Incluso podrías atornillar una chimenea hecha con un trocito de madera o construir una cabina para el maquinista. Unos cuadrados de tela anudados pueden hacer las veces de personas que viajan en el tren.

Cuando el bebé crezca, puedes desarrollar más el tren atornillando un gancho a la parte delantera y una argolla a la parte posterior de cada vagón. El niño podrá enganchar los vagones entre sí mientras juega.

JUEGO EN EL SUELO

Aumenta la diversión poniendo los vagones sobre una tela en el suelo y creando una escena sencilla a su alrededor. Los bebés que gateen jugarán tranquilamente con esto, metiendo y sacando personitas y animales de los asientos, sobre todo si tú participas. Si juegas con integridad, de forma que también sea real para ti, el bebé absorberá tu ilusión e imitará tus acciones. Esto influirá en su desarrollo. Es más, el bebé disfrutará jugando con algo que tú has fabricado porque transmite el esfuerzo que tú has invertido en su creación.

Consejos y trucos

- Utiliza ramas y troncos secos.
- Si el bebé tiene un año o es mayor, puedes dejar la corteza, retirando las partes que estén sueltas.
- Lija todas las piezas y protégelas con aceite.
- Sé creativa pero sin complicar el diseño; reserva los ganchos y argollas para los niños más mayorcitos.
- Alisa la base para que los vagones del tren no se balanceen.

«El juego es una práctica para la vida.»

Sally Jenkinson, *The Genius of Play*

Cómo fabricar *un tren de madera*

Si el destinatario del juguete es un bebé muy pequeño, retira la corteza por completo para evitar que el niño la muerda.

Materiales

Ramas secas

Sierra

Tornillo de banco

Formón

Cepillo de carpintero

Lijadora eléctrica o papel de lija

Cola

Aceite de linaza o aceite de oliva hervidos y trapos

Instrucciones

1 Para hacer la locomotora, coloca un trozo de madera en un tornillo de banco y sierra por la mitad en sentido longitudinal. Corta un extremo para darle forma triangular. Talla con el formón un asiento para el maquinista.

2 Para hacer un vagón, coloca un trozo de madera en el tornillo de banco y talla con el formón un asiento para los pasajeros.

3 Da la vuelta al trozo de madera y desbasta con el cepillo la base de la locomotora o el vagón hasta dejarla lisa.

4 Repite los Pasos 2 y 3 para crear varios vagones y luego lija todas las zonas serradas, con una lijadora eléctrica o papel de lija, hasta que estén completamente suaves.

5 Si lo deseas, puedes decorar el diseño básico, quizá pegando un trocito de tronco más pequeño a la locomotora para que sirva de chimenea.

6 Aplica un poco de aceite con un trapo sobre las zonas lijadas y saca brillo.

Coche con ruedas

Nada gusta más a los niños que hacer rodar un objeto.
Un sencillo juguete para rodar, como este tronco con ruedas,
da al bebé la posibilidad de movimiento al tiempo que estimula
otros sentidos. Este modelo es una versión de la idea de
vehículo básico de la página 92, con ruedas colocadas con
cuidado en el tronco para crear un coche que ruede.

ESTIMULACIÓN SENSORIAL

Este coche con ruedas es apropiado para distintas
fases del desarrollo del bebé. Fomenta no solo la
motricidad, sino también otros sentidos como el
oído. Hacer rodar un juguete sobre el suelo crea
un sonido, que varía al rodar el juguete hacia atrás
o hacia delante. Esto atrae la atención del bebé

sentado, motivándole a agarrar el juguete con las
manos y jugar con él. A medida que el bebé
comience a gatear, empujará y seguirá a un juguete
de este tipo por toda la habitación. En poco tiempo lo
cogerá y lo rodará con una sola mano mientras gatea.

Este coche de madera puede hacerse fácilmente
con un trozo de tronco y rodajitas de tronco para
las ruedas, siempre que las fijes bien y procures
retirar tanta corteza como sea posible (¡o tu bebé
tratará de comérsela!). Presta especial atención a las
ruedas, cuya corteza debe eliminarse por completo.

VAMOS DE PASEO

Tu bebé disfrutará metiendo y sacando del coche a
un conductor y moviendo el coche. Puedes fabricar
una figurita sencilla pegando un abalorio de madera
sobre un trocito de tronco o usar un juguetito de tu
hijo. Rueda el coche despacio hacia tu bebé. Cuando
el pequeño se mueva más, puedes construir una
carretera con rampas hechas con cojines.

Consejos y trucos

- Utiliza ramas y troncos secos.
- Fija las ruedas a las varillas con seguridad.
- Puedes dejar la corteza en el coche, pero elimínala
  en las ruedas, a menos que sea suave.
- Lija todas las partes serradas y trátalas con aceite.
- Haz el coche lo bastante pequeño para que el niño
  pueda agarrarlo con facilidad.

«*Los primeros juegos de un niño pequeño
incluyen movimiento por puro placer.*»

Rahima Baldwin Dancy, *Usted es el primer profesor de su hijo*

Cómo fabricar *un coche con ruedas*

Además de tallar asientos para el conductor y los pasajeros, puedes taladrar cada tronco para hacer un agujero en el cual colocar una figurita de madera.

Instrucciones

Materiales

Troncos secos

Formón

Papel de lija

Tornillo de banco

Taladro y brocas

Sierra

Varilla de madera fina

Cola blanca

Aceite de linaza o aceite de oliva hervidos y trapos

1 Elige un trozo de tronco para el cuerpo del coche. Utiliza la parte lateral del formón para eliminar los bordes de corteza, empujando el formón en sentido contrario al cuerpo. Lija bien el tronco.

2 Coloca el tronco en un tornillo de banco y vacía una especie de cuña con el formón: será el asiento del conductor.

3 Si vas a hacer una figurita con un trocito de tronco o planeas colocar otro juguete, taladra un agujero para introducir la base del conductor mientras el tronco continúa colocado en el tornillo de banco. No atravieses el coche con el taladro.

4 Con el tronco aún sujeto en el tornillo, taládralo de lado a lado creando un agujero para la varilla que sujetará las ruedas delanteras. Repite el procedimiento para las ruedas traseras. Emplea una broca adecuada al diámetro de la varilla.

5 Saca el coche del tornillo de banco. Corta dos trozos de varilla de la medida correspondiente, de manera que atraviesen el cuerpo del coche y sujeten las ruedas a cada lado. Introduce las varillas en los dos agujeros taladrados.

6 Corta cuatro discos de madera del mismo tamaño para las ruedas y lija bien. Taladra un agujero en cada centro para la varilla (no atravieses los discos).

7 Pega una rueda en cada extremo de las varillas. Por último, recubre todas las superficies cortadas con aceite y saca brillo.

Juguete de empuje

Los juguetes con ruedas ofrecen posibilidades infinitas. Cuando tu bebé se mueva más, un juguete de empuje será el elemento de juego ideal para estimular el movimiento externo, al tiempo que le ayudará a gatear y luego a caminar. Le hará moverse y fomentará la motricidad, crucial en estos primeros años de desarrollo. El movimiento repetitivo es una ayuda para aprender y descubrir, fortaleciendo el físico y estimulando el control.

DISEÑO VERSÁTIL

Además de hacer que tu hijo se mueva y fomentar la motricidad y el equilibrio, un juguete de empuje estimulará la capacidad de juego e incluso puede aumentar su habilidad para interactuar con otros. El paso siguiente al sencillo coche de ruedas descrito en la página 96 es un juguete de mayor tamaño, que pueda ser manipulado por el niño que ya gatea, da trompicones o camina. Puede usarse el mismo diseño para todas las edades, pero hay que adaptar la longitud del palo y el tamaño de las ruedas según la edad del pequeño y la forma en que va a jugar con él.

Consejos y trucos

- Utiliza madera seca.
- Elimina toda la corteza del palo y las ruedas.
- Sé creativo: el juguete puede adoptar cualquier forma que atraiga al niño —un caballo o un cerdo, un coche o un tractor— y puede ser más grande, si lo prefieres.
- Mide la longitud del palo para que se ajuste a la altura del niño.
- Remata el palo con una bola redonda.

Si solo añades ruedas a la forma de animal básica, un bebé que gatee podrá empujarlo. Disfrutará moviéndolo solo y contemplando cómo se aleja de él con un simple empujoncito. También es divertido gatear tras el juguete. Si haces rodar el juguete entre tú y el bebé, acuérdate de girarlo para que siempre avance con la cabeza por delante.

El siguiente paso es añadir una cola al animal en forma de palo para que el niño agarre. Puede tener distintas medidas. En cuanto el pequeño camine, puedes hacer un juguete con un palo lo bastante largo para que vaya empujándolo mientras camina.

En todos los modelos, procura que las ruedas no sean demasiado grandes y que el bebé pueda agarrar bien el extremo del palo. Si no calibras bien las ruedas (es decir, si no taladras los agujeros en el centro), el juguete avanzará a saltitos, lo que divertirá al niño.

DISTINTAS FASES

Como padres, debemos ser conscientes de la progresión individual de nuestro bebé y de lo que es adecuado para su fase concreta de crecimiento, no para su edad. Si das a un bebé un juguete para el que no esté preparado, se sentirá frustrado. No te desanimes si esto ocurre: aparta el juguete durante un tiempo y vuelve a sacarlo más tarde.

Cómo fabricar *un juguete de empuje*

Es posible modificar el diseño de este juguete para reflejar el animal favorito de tu bebé; un pollito o un pingüino, por ejemplo. Desplazar el eje de las ruedas hará que el juguete dé saltitos.

Instrucciones

1 Dibuja a lápiz la silueta de un pato en un papel, y cálcala sobre un trozo de madera, de aproximadamente 25 mm de grosor. Transfiere el diseño colocando el papel de calco sobre la madera y marcando por encima.

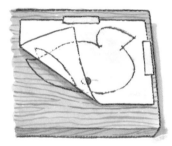

2 Pon el trozo de madera en un tornillo de banco y corta el diseño con una sierra de calar. Sin sacarlo del tornillo, taladra un agujero en la silueta para la varilla que conectará las ruedas.

3 Utilizando madera del mismo grosor, corta dos círculos para las ruedas. Dibújalos primero con un compás para que los dos sean del mismo tamaño.

4 Taladra un agujero en cada rueda para la varilla fina. El agujero debería estar ligeramente desplazado del eje central y en la misma posición en las dos ruedas. Para marcar el punto donde taladrar, traza rayitas a lápiz que muestren los ejes vertical y horizontal sobre el punto en que clavaste el compás en el centro de cada rueda. Alinea las ruedas y extiende la varilla fina sobre ellas, de manera que el borde inferior de la varilla esté alineado con el eje horizontal. Marca una rayita en cada rueda en el punto de intersección del lado superior de la varilla y el eje vertical. Taladra entre las dos marcas horizontales, sobre la línea vertical. No atravieses la rueda.

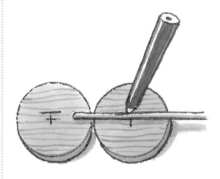

5 Corta la varilla fina a la medida adecuada para obtener un palito que vaya de una rueda a otra atravesando el cuerpo del pato.

6 Utiliza una varilla más gruesa para el palo y córtalo según la longitud deseada, para que el niño empuje el juguete estando de pie. Vuelve a poner el pato en el tornillo de banco y taladra un agujero en el extremo de la cola para alojar la varilla gruesa.

7 Monta el juguete. Introduce la varilla fina a través del pato y pega una rueda en cada extremo. Pega el palo en el extremo posterior del pato y remata el otro extremo del palo con una cuenta de madera.

8 Si lo prefieres, dibuja un ojo a cada lado del pato con rotulador negro. Protege la madera con aceite y saca brillo con un trapo.

Toboganes de acción

A los bebés les encantan las cosas que se mueven o que causan movimiento. Es maravilloso contemplar el asombro de un bebé mayor cuando vierte algo por primera vez. Adoran ver el agua gotear o fluir de un lugar a otro: estimula todos sus sentidos. Este tobogán fomenta la creatividad y el espíritu de aventura.

JUEGO CREATIVO

Aun siendo pequeño, el bebé reacciona ante las gotas de agua que caen sobre su barriga. Cuando crezca y pueda sentarse, obtendrá una satisfacción infinita al jugar con objetos con los que verter algo en la bañera, la piscinita, el fregadero o un riachuelo. Pueden ser tazas, jarras o cucharas.

Fabricar algo para que un bebé mayor juegue a verter y echar, como este tobogán de acción, hace que el niño se vuelva más creativo en su juego. Un tobogán estrecho servirá para echar por él arena seca. Un tobogán más grande podrá alojar pelotas o pompones de lana (véanse las páginas 60 y 82).

Fabricar varios toboganes de distintos tamaños y colores hará posible que tu bebé comience a ver que las cosas no solo se deslizan, sino que caen. Puedes apoyarlos contra un cojín, equilibrarlos sobre bloques de madera o, si jugáis con arena, elevarlos con palos por encima de la arena. Crear distintos niveles permitirá que los objetos caigan de un tobogán a otro o incluso cambien de dirección. ¡Se trata de un juego científico rudimentario!

Consejos y trucos

- Utiliza papel pintado o de colores vivos.
- Evita diseños que puedan distraer.
- Barniza bien los toboganes para protegerlos si van a usarse con arena húmeda o agua.
- Utiliza papel grueso para crear toboganes resistentes.
- Forra tubos de distintos tamaños y medidas.
- Vigila siempre a tu bebé cuando esté jugando con agua.

ESPÍRITU DE AVENTURA

Puedes emplear estos toboganes para jugar en el suelo: pon uno boca abajo para crear un túnel y otro sobre bloques para obtener un puente. Utiliza un tobogán como un barco lleno de personas y animales surcando un mar de tela azul; valla el jardín o pon tejado a la casa con ellos. Las posibilidades ilimitadas de este juguete despertarán el sentido de aventura.

«*Experimentar haciendo lo mismo de distinta forma es un aspecto del proceso creativo.*»

Tina Bruce, *Cultivating Creativity in Babies, Toddlers and Young Children*

Cómo fabricar *un tobogán de acción*

Puedes fabricar varios toboganes en distintos colores, usando tubos de tamaños diferentes obtenidos del centro de los rollos de papel de cocina o de aluminio.

Instrucciones

Materiales

Tubos de cartón

Tijeras afiladas

Papel pintado

Cola blanca

Barniz apto para niños (opcional)

1 Corta con unas tijeras afiladas una tira a lo largo del tubo de cartón. La tira puede ser ancha o estrecha, dependiendo de cuán ancho quieres que sea el tobogán.

2 Corta un trozo de papel pintado que encaje cubriendo las superficies del interior y el exterior del tobogán, dejando un poco más de papel para superponer en todos los lados.

3 Pega el papel sobre la superficie interior del tobogán, dejando suficiente en ambos lados para superponer sobre el dorso del mismo. Practica pequeños cortes en el papel sobrante en los extremos cortos y dóblalos sobre el exterior del tubo. Pégalos.

4 Lleva ambos lados largos del papel pintado por encima del exterior del tobogán, superponiéndolos en el dorso; pégalos. Remata los extremos y bordes.

5 Repite los Pasos 1-4 para hacer más toboganes de distintos largos o anchos. Si lo prefieres, protégelos con barniz.

Asombro

Asombro

El asombro constituye la base sobre la que se forja el respeto hacia nosotros mismos y hacia el mundo. Es nuestro sentido del asombro el que descubre la belleza del mundo y nos anima cuando nos enfrentamos a las penas. Así pues, debería considerarse una experiencia humana única que penetra en nuestras almas. Sin asombro, la vida nos asustaría. Los bebés lo traen consigo a nuestras vidas y lo expresan a través del juego.

Las semillas del asombro

El asombro es la respuesta natural en nuestra primera infancia y debe cultivarse durante la niñez como una base para el aprendizaje sano. Cuando un niño contempla el rostro de una muñeca de trapo sencilla, sin rasgos definidos, dispone de margen para proyectar su propia emoción, fantasía y energía creativa. No debemos subestimar este aspecto, ya que el niño puede hacer que la muñeca llore, se ría, esté enfadada o cansada, hable o esté callada. La creatividad puede practicarse igual que el deporte y la música, y los bebés y niños pequeños tienen una inclinación natural a ser creativos.

Esta actividad contiene las semillas del asombro: un concepto que sugiere mucho más de lo que significa la palabra «fingir» cuando la aplicamos al juego. Como padre o madre de un bebé, tu yo se llenará de asombro ante esta nueva creación para la persona de quien ahora eres responsable y que cambiará tu vida por completo. El asombro que sientes por tu bebé, que anhela tu amor y te lo devuelve con creces, crea un ambiente espiritual que, a su vez, es absorbido por el bebé y alimenta su respeto hacia otros, además de ser una fuente de creatividad. El asombro es la base de la ciencia y es una emoción primaria de la que surge la conciencia investigadora y analítica. A través del asombro, se desarrolla nuestra imaginación y podemos recrear el mundo. Albert Einstein escribió:

Cuando me examino a mí mismo y mis métodos de pensamiento, llego a la conclusión de que el regalo de la fantasía ha significado para mí más que cualquier talento de pensamiento abstracto positivo.

Es un mundo maravilloso

Como progenitor, tu tarea es crear un mundo alrededor del niño en el que el asombro no se vea mermado. Por sencillos que puedan parecer, los juguetes que fabriques son una fuente de asombro para el pequeño. Observa cómo trata de dar sentido a los colores reflejados en su pared a través del adorno de la ventana (véase la página 122), o cómo coge cada objeto del cofre de tesoros como si lo viera por primera vez (véase la página 114). Pronto aparecerá lo que los adultos llamamos la «realidad» de la vida; pero permitir que el mundo sea maravilloso fomenta la capacidad que posee el niño de desarrollar las facultades necesarias para que pueda enfrentarse con el mundo «real» más tarde.

Cuando creas juguetes para tu bebé, inviertes una parte de ti mismo y, en consecuencia, fabricas algo más que objetos materiales. Es importante recordar que, cuando jugamos con el niño, las palabras y el tono de voz empleados refuerzan su respuesta imaginativa ante el juguete, pues el lenguaje también causa asombro.

El momento en el que el bebé te sonríe y tú le devuelves la sonrisa es también un motivo de asombro para él, ya que así descubre el potencial de las relaciones humanas. Es consciente de que existe un mundo de sentimientos más allá de sí mismo.

Pensamiento influyente

Lo que pensamos de otras personas provoca un impacto sobre ellas y nosotros, aunque no sea tangible. Los pensamientos no son neutros y no solo viven en privado en el interior del cerebro. Como destacó el psicólogo conductista soviético Lev Vygotsky, cada pensamiento contiene un elemento de sentimiento transmutado. Los pensamientos amables son una realidad y el bebé se alimenta de ellos. Cómo nos implicamos en el juego transmite más de lo que imaginamos, ya que el amor es recíproco, y podemos encontrar sustento en el amor de un bebé y confianza en nosotros.

Forjando un vínculo espiritual

El asombro es el núcleo de la espiritualidad, una palabra muy manida pero vaga que da sentido a nuestra humanidad. La espiritualidad no solo se encuentra en los procesos complejos de la formación interior, sino que puede existir en las cosas sencillas de la vida. Nuestro amor por el bebé, y el asombro que él nos provoca, son una experiencia espiritual que va más allá de los mecanismos de supervivencia del subconsciente, la herencia genética y el instinto de proteger a la siguiente generación. Nuestros niños nos ponen en contacto directo con el asombro que puede haberse perdido en nuestras vidas.

El juego creativo en sus múltiples contextos y apariciones es un proceso espiritual revelador y atemporal. Podría decirse, incluso, que la vida cotemporánea lo necesita como un antídoto terapéutico ante el mundo moderno. La imagen del «grano de arena» de Blake, en su poema «Augurios de inocencia», es una contemplación de la primera infancia. Por fortuna, nuestros niños pueden recordárnoslo y llevarnos allí si estamos dispuestos a abrirnos a su belleza.

Contemplar el mundo en un grano de arena
y el cielo en una flor silvestre,
sostener el infinito en la palma de la mano
y la eternidad en una hora.

Este punto de vista es una interpretación realista de quiénes somos y quiénes son nuestros niños. Plantéatelo mientras fabricas juguetes y juegas con tu bebé. Seguramente encuentres una dimensión de asombro de la que tú y tu familia os beneficiaréis.

Cajón de arena

Los niños tienen una relación especial con la naturaleza y para ellos es importante estar mucho tiempo al aire libre, pero esto no siempre es posible. Un cajón de arena portátil permitirá que los pequeños jueguen fuera… y lleven el aire libre a casa cuando resulta imposible salir.

JUEGO IMAGINATIVO

La arena es el juguete más maravilloso al que puedes añadir agua para moldearlo o dejar en seco. Puedes fabricar más de un cajón y rellenarlos con algo diferente: arena o barro, agua o castañas. El bebé aprende de ti que el barro debe ir en el cajón del barro, la arena en el cajón de la arena, etcétera. Barro, tierra y arena son los primeros materiales de modelar del niño. Puede aplastarlos entre sus manos y moldearlos de cualquier forma, creando torres, castillos y carreteras… Las posibilidades son infinitas. El pequeño adorará construir túneles contigo ¡si tus dedos aparecen al otro lado!

Si optas por introducir otros objetos, procura que sean sencillos: una concha grande será una pala excelente y tiene el tamaño ideal para las manitas. También son muy útiles los coladores o tamices y las tacitas y jarras pequeñas. A medida que el niño crezca, incluye algunas conchas bonitas y piedras de distintas formas para crear dibujos en la arena.

Un arenero proporciona una gran oportunidad para el juego cooperativo; para compartir y construir algo con un amigo. Aunque el bebé se entretenga solo, dará la bienvenida a un compañero con el que compartir el cajón de arena.

Consejos y trucos

- Si vas a fabricar tú solo el cajón de arena, utiliza planchas de madera resistente. Atorníllalas y pega las juntas con cola.
- Procura que los agarraderos sean resistentes, ya que la caja será pesada cuando esté llena de arena.
- Utiliza arena limpia y no llenes demasiado la caja.
- Forra la caja con plástico para proteger la arena de bichos y consérvala en buen estado.
- Guarda en otra caja el resto de los juguetes.
- Perfora agujeros en la base para que salga el agua.
- Haz una tapa, sobre todo si va a estar al aire libre.

«*Los niños muy pequeños sienten el instinto de jugar, experimentar y reorganizar los materiales de su mundo.*»

Margaret Morgan, *Natural Childhood*

Cómo fabricar *un cajón de arena*

Una caja de vino es perfecta para este modelo: pide una en la tienda de vinos más cercana. Otra alternativa es fabricar una caja con planchas de madera resistentes y protegerla con aceite.

Instrucciones

Materiales

Caja de madera con fondo resistente

Cinta métrica

Lápiz

Taladro y brocas

Cuerda

Lámina de plástico

Cinta de embalar

Grapadora de tapicero

Varillas de madera

Sierra

Cola blanca

Destornillador y tornillos cortos

1 Busca el centro de cada lado corto de la caja de madera (marcándolo a lápiz para que pueda borrarse después) y taladra dos agujeros a cada lado, a una distancia aproximada de 7-10 cm.

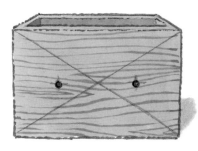

2 Pasa una cuerda por los agujeros taladrados, atando un nudo en cada extremo de la cuerda por el interior de la caja para crear dos agarradores.

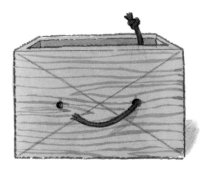

3 Forra el interior de la caja con plástico para hacerla impermeable. Puedes usar cinta adhesiva marrón para sujetar los bordes.

4 Utiliza una grapadora de tapicero para fijar el plástico al borde interior de la caja.

5 Cubre las grapas con una varilla de madera, cortada a medida e ingleteada en los extremos para que encaje en las esquinas. Encola las varillas y atorníllalas.

6 El cajón está listo para llenarlo de arena.

Cesta de tesoros

Este concepto fue creado por la educadora Elinor Goldschmied, que inspiró a generaciones de padres, niños y educadores. Es adecuado para un bebé que ya pueda sentarse, pero aún no se mueva demasiado. Poner objetos en una cesta permite al pequeño descubrir por sí mismo lo que puede hacer con ellos.

JUEGO IMAGINATIVO

Una cesta de tesoros mantendrá al bebé ocupado y estimulado durante mucho tiempo. También permite que el niño haga sus propios descubrimientos. Los padres debemos aprender cuándo no interferir en el aprendizaje del bebé, y atenderle solo en las ocasiones en que nos necesite de verdad. Observa a tu bebé jugar con los objetos de la cesta, explorándolos plácidamente y háblale solo cuando él lo requiera.

La cesta puede ser pequeña y también debe ser resistente. Un forro de tela sujeto con un cordón es útil para recoger los objetos y, si vas a salir y quieres llevártelos, puedes transformarlo en bolsa para transportarlos.

TESOROS PARA LA CESTA

Solo hay una regla a la hora de elegir objetos para la cesta: deben ser atractivos para los sentidos del bebé. Por ello, son preferibles los materiales naturales. El plástico es frío, duro, anguloso y, por lo general, poco atractivo. Los materiales naturales son cálidos al tacto y pueden tener cualquier forma. Una piedra puede ser pesada, plana, áspera o lisa y se calienta al jugar.

El bebé también «saboreará» los objetos, así que procura que sean adecuados para bocas pequeñas. Deslizar la boca por encima de una piedra es una experiencia más que interesante. Le permite absorber la sensación de la piedra… y no hace ningún daño. Una piña es genial, ya que puede agarrarla cómodamente, explorarla con interés y tal vez arrojarla al suelo; asegúrate de que no contenga ningún piñón y que ninguna pieza pueda desprenderse. Una cuchara sopera es divertida: el niño puede golpearla, comer con ella o usarla como espejo. Un sonajero, cucharas de madera de distintos tamaños, conchas y paños de seda son también tesoros excelentes para explorar.

Consejos y trucos

- Forra la cesta con tela resistente para que sirva también de bolsa para transportar los tesoros.
- Haz más de una cesta para los juguetes del bebé.
- Utiliza cestas resistentes: las cuadradas y rectangulares se vuelcan menos que las redondas.
- Elige tesoros fabricados con meteriales naturales.
- Los objetos acabarán en la boca; así pues, procura que tengan un tamaño seguro: no demasiado pequeño.
- Si incluyes tela o un pañuelo de seda, procura que sean cuadrados y no demasiado largos.
- No pongas demasiados objetos: 10 en la caja cada vez que juegue es más que suficiente.
- Da tiempo para que el bebé conozca los objetos y descubra lo que pueden hacer antes de cambiarlos por otros.

Cómo confeccionar *una cesta de tesoros*

El método aquí descrito puede utilizarse para una cesta cuadrada
o rectangular de cualquier tamaño. Procura que la cesta sea poco
profunda para que el bebé pueda acceder fácilmente a los objetos.

Instrucciones

1 En primer lugar, corta las piezas de tela.
Toma las medidas de la cesta, añadiendo
un poco más para el margen de las costuras.
Puedes poner la cesta sobre la tela para
medir la base.

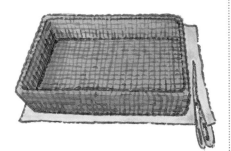

2 Para los lados, puedes usar un largo de
tela continuo. Para medir la profundidad,
acuérdate de añadir la cantidad de tela que
quieres volver hacia fuera. Ten siempre en
cuenta el estampado de la tela a la hora
de cortar.

3 Cose el dobladillo superior de la tela
para los lados, haciéndolo lo bastante ancho
para pasar más tarde por él el cordón o el
lazo. (Véase el Paso 6.)

4 Cose el dobladillo vertical y coloca la tela
en la cesta, comprobando que el mejor lado
del estampado quede en la parte delantera.
Señala cada esquina con alfileres. Pon la tela
para la base en el interior de la cesta, con el
derecho hacia arriba, y, una vez más, señala
con alfileres la posición de cada esquina.

5 Retira la tela y cose las piezas, con el revés hacia fuera, usando los alfileres para alinear las esquinas correctamente.

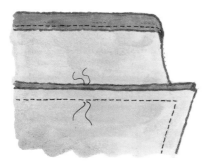

6 Haz un pequeño corte en el centro del dobladillo superior largo, que irá en la parte delantera de la cesta, y pasa por él un cordón, atando los extremos en un lazo. Si enhebras el cordón en un imperdible será más fácil pasarlo a través del dobladillo. Acuérdate de retirar todos los imperdibles antes de dejar que el bebé juegue con la cesta.

Móvil natural

En los primeros meses, la principal tarea del bebé es construir su fuerza física a través del desarrollo de sus músculos. También necesita reconocer y comprender su cuerpo, así como acostumbrarse a lo que es capaz de hacer. Los juguetes que puede mirar mientras está tumbado en la cuna o cuando está sentado en la trona, captarán su atención en breves momentos. Enseguida empezará a fijarse en ellos y querrá tocarlos.

LLEVAR LA NATURALEZA AL INTERIOR

Elevar a tu bebé para que contemple el móvil y moverlo para él, le provocará gran satisfacción. Cuando el pequeño empiece a fijarse en este objeto fuera de la periferia de su propio cuerpo, sus sentidos se verán estimulados por la variedad, el color, la forma y el sonido de los objetos que cuelgan del móvil.

Existen un sinfín de materiales naturales interesantes de cada estación que puedes recoger y colgar del móvil: hojas secas, piñas, castañas y frutos en otoño; plumas, conchas, maderas de la playa y flores en verano. Ata los objetos de ramas con un cordón por el que enhebrarás abalorios o campanillas, y cuelga el móvil por encima de la cuna o delante de una ventana para que se mueva suavemente con la brisa. Es importante no colgar demasiados objetos. Si tienes muchos, cambia el móvil de vez en cuando para que el bebé comience a buscar formas y colores diferentes de los anteriores.

A medida que el bebé crezca, puedes recoger cosas con él cuando vais de paseo. Esto fomentará su interés por la naturaleza. Comenzará a apreciar que una pluma procede de un pájaro y sabrá lo que se siente al tocarla y lo ligera que es. Cogerá una concha y sentirá sus bordes duros, en ocasiones afilados, y saboreará la sal del mar. Empezará a comprender que si tira de los pétalos de una flor, estos se desprenden.

TOQUE ESTACIONAL

Otras ideas para móviles incluyen estrellas y ángeles para Navidad; corazones y pequeños pajaritos de lana para el día de San Valentín; huevos pintados por la Pascua; copos de nieve de papel y bolas de nieve con pompones en invierno. Podrías hacer el móvil con bolitas de lana… las posibilidades son infinitas.

Consejos y trucos

- Comprueba que todos los objetos recogidos no desprendan o contengan semillas.
- Cuélgalos con hilo o cordón de nailon.
- Comprueba que la rama de la que cuelgan los objetos sea resistente.
- Cuelga la rama de forma segura.
- Utiliza una gran variedad de formas, colores y sonidos.

Cómo fabricar un móvil natural

Este móvil tiene un aspecto otoñal, pero puedes adaptar la idea
a otras estaciones, haciendo abejas y mariposas para el verano,
ángeles y copos de nieve para el invierno, y flores para la primavera.

Instrucciones

Materiales

Vara de sauce

Hilo resistente

Diversos adornos
naturales, como piñas,
plumas, hojas secas y
flores

1 Haz un anillo con una vara de sauce,
de aproximadamente 100 cm, enroscando
el sauce por dentro y fuera del círculo. Ata
el círculo a intervalos regulares con hilo.

2 Ata tres hilos de la misma medida al
anillo de sauce y haz un nudo con los tres
en la parte de arriba. Los usarás para colgar
el móvil cuando esté terminado.

3 Corta varios trozos de hilo de distintas
medidas y ata diversos adornos naturales
en cada uno, dejando un tramo de hilo
entre los objetos atados.

4 Ata los hilos decorados al anillo de sauce,
espaciándolos regularmente alrededor del
círculo.

Adorno para ventana

Crear un entorno hermoso para tu bebé ayuda a desarrollar el sentido estético. Un adorno estacional para la ventana, acompañado de una repisa natural de tesoros recogidos, hará que el pequeño aprecie el espacio que le rodea y los cuidados recibidos, además de los cambios en el transcurso del año.

EL CAMBIO DE LAS ESTACIONES

El adorno de la ventana atraerá la atención del bebé, especialmente cuando se mueva más y comience a observar lo que ocurre en la naturaleza. Atraer su conciencia hacia el cambio de las estaciones, haciéndole notar las modificaciones que se producen en las formas y colores, le ayudará a ampliar su conocimiento sobre el mundo exterior. Se interesará por la forma en que la luz brilla a través del adorno y los reflejos que proyecta en la pared.

Superponer un color sobre otro en el adorno crea un tercer color, mientras que superponer el mismo color, aporta profundidad. También puedes desgarrar o retorcer el papel de seda para crear formas y bolitas que aporten textura. Un bebé mayor disfrutará fabricando los adornos contigo, pegando trocitos de papel de seda. Cualquier actividad artística es una experiencia creativa para tu bebé, ya sea participando u observando cómo lo haces.

Puedes crear distintos diseños a lo largo del año. Por ejemplo, añade hojas a un diseño de árbol reconocible con tronco y ramas, cambiando su color según las estaciones. En primavera pueden aparecer capullos en el árbol, pájaros en verano, manzanas en otoño y estrellas o nieve en invierno.

REPISA NATURAL

El adorno para ventana puede complementarse con una repisa de las estaciones que puede colocarse en

Consejos y trucos

- El marco puede ser de cualquier tamaño, pero siempre debes redondear las esquinas.
- Elige un color para el marco que acentúe la transparencia.
- Haz tu diseño tan sencillo o complicado como desees, experimentando con colores para empezar.
- Cambia el adorno para ventana en cada estación.
- Si te ayuda el niño, utiliza cola que sea segura.
- Cuelga el adorno sobre el cristal de la ventana.
- Para la repisa natural, usa objetos de cada estación —hojas, piñas, bayas— u otros elementos naturales como piedras y plumas.
- No dejes que las hojas y flores se marchiten.
- Elige objetos con los que el bebé no pueda ahogarse.

un lugar conveniente, como un alféizar o una mesita. Cuando salgáis a dar un paseo, celebrad vuestros hallazgos y luego llevadlos a casa para ponerlos en la repisa. Un bebé disfruta con las cosas más sencillas: sentir la diferencia entre una piedra afilada y un guijarro suave, u oler el aroma de la menta o la rosa. Llevar las maravillas de la naturaleza al hogar será motivo de alegría para todos, despertando el interés de la familia por la naturaleza y el cambio de las estaciones.

Cómo fabricar *un adorno para ventana*

Puedes emplear esta técnica para fabricar un adorno para cada estación: un girasol para el verano, un muñeco de nieve para el invierno, una flor para primavera y una ardilla para el otoño.

Instrucciones

1 Utiliza un compás para dibujar un círculo grande, de unos 30 cm de diámetro, sobre una hoja de cartón.

2 Dibuja un segundo círculo de unos 4 cm por dentro del primero y recorta para conseguir un anillo de cartón grande. Repite los Pasos 1 y 2 con la segunda hoja de cartón.

3 Introduce un trozo de papel manila entre los dos anillos de cartón y pégala a lo largo del interior de los anillos. Deja que la cola se seque.

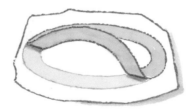

4 Dibuja un diseño estacional sobre el papel. En este modelo se ha dibujado un girasol para un adorno estival.

5 Pega poco a poco bolitas de papel de seda o flores y hojas secas para crear el diseño. Deja secar bien.

6 Recorta alrededor de la circunferencia de cartón, perfora un agujero en la parte superior con una taladradora y ata un trozo de cordón de color para colgar el adorno.

7 Crea una repisa natural para acompañar al adorno de la ventana. Elige un lugar al que llegue el bebé y coloca varios objetos naturales seguros sobre una tela de color.

Índice alfabético

A

abuso físico 52
acción 74-77
acción, toboganes de 102-105
adorno para ventana 122-124
agarrar 74, 76
amor, importancia del 14
anillas 56-57, 59
animales 17
   gallinita 38-41
   juguetes de empuje 98-101
   oveja tejida 42-45
   vallas para 78
animales de la granja
   gallinita 38-41
   oveja tejida 42-45
   pollito de pompones 46-49
   vallas para 78
ansiedad 14
aprendizaje acelerado 10
arena
   cajón de arena 110-113
   toboganes de acción 102
asombro 108-109
autoestima 17

B

balancearse 34
Barocio, Rosa 68
barquito de madera 86-89
Blake, William 6, 9, 109
bloques de construcción 78-81
bloques y vallas 78-81
boca, sentido del gusto 54, 74
Britz-Crecelius, Heidi 18
Bruce, Tina 82, 102
Buber, Martin 52

C

caja, sonajeros 56-57, 59
caminar 76
campanas, maceta 68-71
canciones *véase* cantar

cantar
   y desarrollo del habla 77
   cancioncilla «para recoger» 30
cesta de tesoros 114-117
coche con ruedas 94-97
colores 54, 122
conciencia 52-55
control manual 74, 77
cuentacuentos 54, 77
cuidado 14-17
cuidado con seguridad
   desarrollo de 55
   movimiento y 54
   y desarrollo de los sentidos 52

D

Dancy, Rahima Baldwin 94
desarrollo cerebral 10, 14
desarrollo del habla 76-77
desarrollo del lenguaje 76-77
destrezas motoras 78
día de San Valentín 118
diferencias de género 74-76

E

Einstein, Albert 108
emociones
   asombro y 109
   conciencia emocional 55
   equilibrio 14
   privación 14
equilibrio, bloques 78
escenas en el suelo
   con marionetas 26
   granjas 42
   toboganes de acción 102
   tren de madera 90
   vallas 78
espiritualidad 109
estaciones, adorno para ventana 122
estrés 14, 55
expresiones faciales 16, 17

F

faciales, expresiones 16, 17

familias, animales de la granja 38, 42
físico, abuso 52
«forzar a los niños» 10
Froebel, Friedrich 61, 75

G

gallinita 38-41
gatear 82
gestos 54, 77
Goldschmied, Elinor 114
gusto, sentido del 54, 74

H

hablar 76-77
hamaquita 34-37
Hobson, Peter 55

I

imitación 17
   aprender a caminar 76
   desarrollo del habla 77
instintos de crianza 17

J

Jaffke, Freya 21, 46
Jenkinson, Sally 90
juego
   definición 7-8
   desarrollo del 76
   importancia del 16-17
   papel de los padres 17
juego acuático
   barquito de madera 86-89
   juegos de verter 102
juego creativo 102, 108, 109
juego de fantasía 76
juego digital 74
juego funcional 76
juego imaginativo
   asombro y 108
   cajón de arena 110
   cesta de tesoros 114
   desarrollo del 76
juego representativo 76
juego secuencial 76
juego simbólico 76
juegos de verter y echar 102

juegos de pelota 60
juguetes de empuje
   coche con ruedas 94-97
   pato 98-101
   tren de madera 90-93
juguetes que ruedan, coche con ruedas 94-97

L

lana
   oveja tejida 42-45
   pelotas de lana 60-63
   pollito de pompones 46-49
   pompones 82-85
Largo, Remo 76

M

madera
   bloques y vallas 78-81
   juguete de empuje 98-101
   barquito de madera 86-89
   coche con ruedas 94-97
   móvil de bambú 64-67
   sonajeros 56-58
   tren de madera 90-93
margen de atención 17
marionetas 17
   marionetas de suelo 26-29
materiales naturales 114
miedo 14
modelos con tela
   gallinita 38-41
   hamaquita 34-37
   marionetas de suelo 26-29
   muñeca de tela 21-25
   muñeco básico 18-20
   mural 30-33
Morgan, Margaret 110
móvil de bambú 64-67
móvil de macetas 68-71
móvil natural 118-121
movimiento
   caminar 76
   desarrollo del 56
   y autoconciencia 54
   y desarrollo del pensamiento 76
movimientos reflejos 56
muñeca de tela 21-25

muñecas anudadas 18-20
muñeco básico 18-20
muñecos/muñecas
    desarrollo del juego 76
    diferencias de género 74-76
    imitación 17
    marionetas de suelo 26-29
    muñeca de tela 21-25
    muñeco básico 18-20
    y creatividad 108
mural 30-33
música
    móvil de bambú 64-67
    móvil de macetas 68-71

N
nanas 34
Navidad 118
«niño gacela» 76
«niño lobo» 76
niñas, diferencias de género 74-76
niños, diferencias de género 74-76

O
oído 6, 54
oído, audición 54
olfato, sentido del 54
oveja tejida 42-45

P
pájaros
    gallinita 38-41
    juguete de empuje 98-101
    pollitos de pompones 46-49
papel de seda, adorno para ventana 122-124
Pascua 118
paternidad, alegría de 9
pato, de empuje 98-101
pedagogía Waldorf 10-11
pelotas
    de lana 60-63
    juegos de pelota 60
    pompones 82-85

pelotas de lana 60-63
pensamiento
    desarrollo del 55
    movimiento y desarrollo del 76
    sentimientos y 109
Pikler, Emmi 18
pompones 82-85
    pollito de pompones 46-49
postura erguida 76
problemas de salud mental 14

R
reaccionar ante el bebé 6-7, 9-10
recoger 30
recuerdos 76
repetición 17, 56, 77
repisa natural 122, 124-125
rimas infantiles
    juegos acuáticos 86
    juegos de pelota 60
    nanas 34
    sobre ovejas 42
ritmos 68, 77
ruidos elevados 64

S
seguridad 54
sentidos primarios 52-54
sentidos, desarrollo de los 52-54
sonajeros 56-58
sonidos 54
    móvil de macetas 68-71
    móvil de bambú 64-67
sonreír 109
Steiner, Rudolf 10-11, 16, 64

T
tacto, sentido del 52-54, 74
teatro
    con marionetas de suelo 26
tejida, oveja 42-45
texturas 56

tiempo, sentido del 76
toboganes de acción 102-105
tren de madera 90-93

V
vallas 78-79, 81
visión 54, 74
vista 54, 74
Vygotsky, Lev 109

Bibliografía

Baldwin Dancy, Rahima, *Usted es el primer profesor de su hijo*, Ediciones Medici, Barcelona, 2006.

Barocio, Rosa, *Disciplina con amor*, Editorial Pax México, México, 2004.

Blake, William, *Selected Poetry*, Oxford University Press, Oxford, 1998.

Britz-Crecelius, Heidi, *Children at Play: Using Waldorf Principles to Foster Childhood Development*, Inner Traditions, Rochester, 1996.

Bruce, Tina, *Cultivating Creativity in Babies, Toddlers and Young Children*, Hodder Arnold, Londres, 2004.

Buber, Martin, *Yo y tú*, Caparrós Editores, Madrid, 1995

Carey, Diana and Large, Judy, *Festivals, Family and Food*, Hawthorn Press, Stroud, 2001.

Clouder, Christopher and Rawson, Martyn, *Waldorf Education: Rudolf Steiner's Ideas in Practice*, Floris Books, Edimburgo, 2003.

Clouder, Christopher (ed.), *Steiner Education: An Introductory Reader*, Sophia Books, Oakland, 2004.

Clouder, Christopher, Jenkinson, Sally and Large, Martin (eds.), *The Future of Childhood*, Hawthorn Press, Stroud, 2000.

Cohen, David, *The Development of Play*, Routledge, Abingdon, 2006.

Druitt, Ann, Fynes-Clinton, Christine and Rowling, Marye, *All Year Round*, Hawthorn Press, Stroud, 1995.

Froebel, Friedrich, *The Education of Man*, Dover Publications, Mineola, 2005.

Froebel, Friedrich, *The Pedagogics of the Kindergarten: Ideas Concerning the Play and Playthings of the Child*, University Press of the Pacific, Honolulu, 2003.

Gerhardt, Sue, *Why Love Matters: How Affection Shapes a Baby's Brain*, Brunner-Routledge, Londres, 2004.

Glöckler, Michaela and Goebel, Wolfgang, *A Guide to Child Health*, Floris Books, Edimburgo, 2003.

Glöckler, Michaela (ed.), *The Dignity of the Young Child: Care and Training for the First Three Years of Life*, Medical Section of the Goetheanum, Dornach, 1999.

Hobson, Peter, The *Cradle of Thought: Exploring the Origins of Thinking*, Pan Macmillan, Londres, 2004.

Jaffke, Freya, *Play and Work in Early Childhood*, Floris Books, Edimburgo, 2002.

Jaffke, Freya, *Juguetes hechos por los padres*, Editorial Escuela Española, Madrid, 1997.

Jenkinson, Sally, *The Genius of Play: Celebrating the Spirit of Childhood*, Hawthorn Press, Stroud, 2002.

Knabe, Angelika, "Rhythms in Man and Cosmos: Strengthening the Will and Self Assurance» en Michaela Glöckler (ed.), *The Dignity of the Young Child: Care and Training for the First Three Years of Life*, Medical Section of the Goetheanum, Dornach, 1999.

Largo, H. Remo, *Babyjahre*, Piper, Munich, 2000.

Male, Dot, *The Parent and Child Group Handbook: A Steiner/Waldorf Approach*, Hawthorn Press, Stroud, 2006.

Morgan, Margaret, *Natural Childhood*, Gaia Books, Londres, 1994.

Oldfield, Lynne, *Free to Learn: Introducing Steiner Waldorf Early Childhood Education*, Hawthorn Press, Stroud, 2001.

Olfman, Sharna (ed.), *All Work and No Play: How Education Reforms are Harming Our Preschoolers*, Praeger, Westport, 2003.

Salter, Joan, *The Incarnating Child*, Hawthorn Press, Stroud, 1992.

Steiner, Rudolf, *The Education of the Child: And Early Lectures on Education*, Steiner Books, Great Barrington, 1996.

Stern, Daniel, *Diary of a Baby: What Your Child Sees, Feels and Experiences*, Basic Books, Nueva York, 1992.

Woodhead, Martin, Faulkner, Dorothy and Littleton, Karen (eds.), *Cultural Worlds of Early Childhood*, Routledge, Londres, 1998.

Agradecimientos

Agradecimientos de los autores
Los autores desean dar las gracias a todos aquellos que ayudaron a producir este libro, ya sea con su apoyo explícito o con su inspiración implícita. Esto también es extensible a nuestros respectivos hijos –Leoma y Kether y Emma y Alexandra– que nos enseñaron tanto antes de que supieran que lo estaban haciendo.

Agradecimientos fotográficos
Fotografía especial © Octopus Publishing Group Limited/Russell Sadur

Agradecimientos de los editores
Los editores desean dar las gracias a Fiona White por fabricar todos los juguetes de este libro. Gracias también a todos los niños que fueron fotografiados para el libro (y a sus padres y cuidadores por traerlos): Amelia Thorpe, Angel Baxter, Bethan Steel, Dylan Rees-Coshan, Emma Craig, Imogen Jackson, Ivy Rostron, Jake Franklin, Jamie Clark, Jaya Morrison, Jemma Jessup, Joey Wren, Joseph Coury Reid, Lola Beer, Lydia Cully, Madeline Hesketh, Millie Austin

Editores ejecutivos Jo Godfrey Wood y Jessica Cowie
Editora Fiona Robertson
Editor de arte ejecutivo Leigh Jones
Diseño Peter Gerrish
Ilustraciones Kate Simunek
Control de producción Simone Nauerth
Fabricante de juguetes Fiona White